ro
ro
ro

Horst Evers stammt aus Evershorst bei Diepholz in Niedersachsen und lebt in Berlin seit der Zeit, als der Westen der Stadt noch eine Insel war. Er studierte Germanistik und Publizistik, jobbte als Taxifahrer und Eilzusteller bei der Post. Bereits während des Studiums schrieb er erste Texte, die er in der Mensa vortrug. Ermutigt vom Erfolg, wollte er seine Erzählungen bald einem größeren Publikum zugänglich machen. 1990 gründete er zusammen mit fünf Freunden die Textleseshow «Dr. Seltsams Frühschoppen», die bald zur erfolgreichsten Lesebühne der Stadt wurde. Inzwischen hat er mehrere lustige Bücher und CDs veröffentlicht. Er trägt meistens ein rotes Cordhemd.

«Ein gutes und nützliches Buch.» *taz*

Horst Evers

Die Welt ist nicht immer Freitag

Rowohlt Taschenbuch Verlag

5. Auflage November 2007

Veröffentlicht im Rowohlt Taschenbuch Verlag,
Reinbek bei Hamburg, Juli 2006
Copyright © Eichborn AG, Frankfurt am Main, März 2002
Umschlaggestaltung any.way, Cathrin Günther,
nach einem Entwurf von Eichborn AG
(Illustration: Bernd Pfarr)
Satz aus der Guardi PostScript (InDesign)
Gesamtherstellung Clausen & Bosse, Leck
Printed in Germany
ISBN 978 3 499 24251 9

Inhalt

Für Gabi und Roberta

Vorwort

Die Welt ist nicht immer Freitag ist eine Sammlung von Geschichten, die in einem Zeitraum von fünf Jahren, von 1997 bis 2001 entstanden sind. Praktisch alle Texte sind ursprünglich für den Vortrag auf der Bühne geschrieben und hatten ihre Erstaufführungen in den regelmäßigen Vorleseshows *Dr. Seltsams Frühschoppen* und *Mittwochsfazit*. Das Prinzip dieser Veranstaltungen ist sehr einfach: An einem festgelegten Wochentag, zu einer bestimmten Uhrzeit trifft sich in Berlin eine Gruppe von Autorinnen und Autoren, die ihre neuesten Texte einem erstaunlich großen Publikum vorlesen. Jeden Monat wird das Programm komplett ausgewechselt. Die erwähnten Shows gibt es bereits recht lange, den allsonntäglichen *Dr. Seltsams Frühschoppen* seit 1990, das *Mittwochsfazit* jeden Mittwoch seit 1996.

Mit dabei sind neben mir im *Frühschoppen:* Hans Duschke, Hinark Husen, Andreas Scheffler, Sarah Schmidt, Jürgen Witte und Dr. Seltsam; im *Mittwochsfazit:* Bov Bjerg und Manfred Maurenbrecher. Es wird Aktuelles, Politisches, Alltägliches präsentiert, gesungen und diskutiert, doch vor allem geschieht eines, es werden Geschichten erzählt. Und so habe ich nun hier meine liebsten dieser Geschichten aus den letzten fünf Jahren versammelt. Ihre Abfolge in diesem Buch ist nicht chronologisch, sondern folgt einem eher immanenten Ordnungsprinzip, obschon jeder Text als eigenständig anzusehen ist. Eine Gesamtdramaturgie im herkömmlichen oder welchem Sinne auch immer ist kaum auszumachen. Und doch ergibt sich aus allen Geschichten zusammen ein Bild, welches wohl schnell erkennen lässt: Die Welt ist nicht immer Freitag.

Montag
Aufbruch

Zwei Plätze für Scholz

Montagmorgen, 11.00 Uhr. Bin schon seit drei Stunden wach, sitze auf dem Sofa und starre auf meine Liste mit all den Sachen, die ich heute erledigen will. Bin extra um 8 Uhr aufgestanden, um mal alles fertig zu kriegen, stattdessen sitze ich auf dem Sofa, starre auf die Liste und denke nichts anderes als: «Oh Gottegottegott, is das viel Zeugs, das kann man ja gar nicht schaffen, das schafft ja keiner, mannmannmann, du hast aber viel zu tun immer, und das wird auch nich weniger, jetzt biste schon seit 8 Uhr auffe Beine und is immer noch so viel zu tun, jungejungejunge, wie früh sollste denn noch aufstehn?»

Auf der Liste steht nichts, aber auch überhaupt nichts, was mir irgendwie Spaß machen könnte. Überlege auch schon seit drei Stunden, was ich machen könnte, damit ich nichts von der Liste machen muss, ohne deshalb ein schlechtes Gewissen zu haben.

Ich könnte die Bücher im Bücherregal nach Größe sortieren. Das hätte immerhin den Vorteil, dass mir das bestimmt nicht gefallen würde und ich das nächste Mal, wenn ich wieder vor so einer Liste sitze, sie zurück nach Alphabet sortieren könnte. Das ist prima. Nehme 20 Bücher aus dem Bücherregal, lege sie auf den Boden, verliere die Lust, gehe wieder zum Sofa und schreibe «Bücher zurück ins Regal räumen» mit auf die Liste.

Puh, jetzt bin ich aber auch kaputt. Wär eigentlich mal Zeit für 'ne Pause, aber geht nicht, so viel Arbeit wie ich hab.

Das Gewissen macht mir ganz schön zu schaffen, wenn mir nicht sofort was anderes einfällt, muss ich mit der Liste anfangen. Diesen Druck wünscht man seinem schlimmsten Feind nicht. Beschließe erst mal, die Liste fein säuberlich am Computer abzutippen. Prima Idee. Das sieht ordentlich aus, gut organisiert und entlastet das Gewissen, weil: Am Computer sitzen hat immer was von echter Arbeit.

Hey, das geht gut voran. So jetzt ausdrucken, was hamm wir denn da? Ei, die Liste ist ja man grad nur 'ne knappe DIN-A4-Seite lang, das ist enttäuschend. Mehr ist das nicht? Na, wolln wir doch mal sehn!

Ich wähle den Schrifttyp 10 Stufen größer, verdoppele den Zeilenabstand und drucke erneut aus. Ha, dreieinhalb Seiten mit lauter Sachen zu erledigen. Boarhh, hab ich viel zu tun. Ich armer Mensch. Und das, obwohl ich schon seit vier Stunden schufte wie ein Tier. Mannmannmann, aber ich klage nicht. Ich pack es an. Ich bin eben ein Macher, ein Arbeitstier, ein richtiger Malocher. Jetzt geht's los, aber frag nicht nach Sonnenschein, jetzt ... Das Telefon klingelt. Schade, ich war so dicht dran. Na, kann man nix machen.

– Ja hallo, hier Evers?

– Ja guten Tag, ist da die Busreisefirma Bussmann?

– Oh nein, da sind Sie falsch ...

– Wir würden gern zwei Plätze buchen, für die Fahrt nach Tirol im September.

– Nee, das geht nicht, Sie sind ...

– Ach is schon voll? Wir hamm den Prospekt erst heut morgen gekriegt. Das is aber komisch.

– Nee, is nich voll. Is nur ...

– Ja gut, dann zwei Plätze für Scholz.

– Ich hab keinen Bus!

– Wie, das ist ja komisch. Na denn halten Sie sich mal ran, bis September is nich viel Zeit.

– Ich hab auch im September keinen Bus.

– Im Prospekt steht aber Komfortreisebus mit Klimaanlage, WC und Kaffeebar.

– Das hab ich alles nich!

– Kaffeebar muss nich unbedingt.

– Ich hab keinen Bus.

– Na ja, vielleicht 'nen kleinen. Gucken Se doch mal.

– Nein.

– Na gut. Is ja nich mein Problem, auf alle Fälle möcht ich zwei Plätze buchen. Nach Tirol.

– Ich fahr nicht nach Tirol.

– Na, ich wollt sowieso lieber nach Schottland, aber meine Frau sagt, lass uns lieber im deutschsprachigen Raum bleiben, da verstehn wir die Leute wenigstens.

– Da wär ich mir nicht so sicher.

– Wo soll ich denn das Geld hin überweisen?

– Nirgendwohin!

– Wie, kost das nix? Das is ja komisch.

– Also gut, wenn Sie's nicht anders wollen, das kost 1000 Mark.

– Oi, im Prospekt schreiben Sie aber 199.

– Das Angebot galt nur bis 11.00 Uhr, jetzt kostet's 1000 Mark, pro Person.

– Tja, kann man wohl nix machen, wohin muss denn das Geld?

Ich gebe auf, gebe ihm meine Kontonummer, lege auf, gehe zurück zum Computer und schreibe «Busfirma gründen» noch mit auf meine Liste. Mann, die Arbeit hört einfach nicht auf.

Materieverdichtung

Acht Uhr morgens. Telefon und Wecker klingeln gleichzeitig. Da weiß man gar nicht, was man zuerst ignorieren soll. Beruhige den Wecker mit einem gezielten Schlag und hebe ab. Es ist Peter.
– Hallo Horst, darf ich dich zum Frühstück einladen?
– Echt? Klar! Wann?
– So gegen zehn. Und ähm, ich hab nix im Haus, kannst du alles mitbringen, bitte, bis dann, ciao.
Ich mag Peters morgendliche Anrufe nicht. Die sind kein guter Start. Das muss doch auch anders gehen. Ein Anruf, über den ich mich morgens freuen würde, wäre zum Beispiel:
«Herr Evers, aufgrund einer Materieverdichtung durch das wieder zusammenschrumpfende Universum ist es zu Gravitationsschwankungen in unserem Sonnensystem gekommen, wodurch sich die Erdumdrehung etwas verschoben hat. Um dies auszugleichen, haben wir alle Uhren weltweit um zwei Stunden zurückgestellt und informieren gerade die gesamte Erdbevölkerung davon telefonisch. Es ist für Sie also erst sechs Uhr, sie können noch zwei Stunden schlafen.»

Das Glücksbrötchen

Montagmittag, ich rufe Thomas an.
– Hallo Thomas, hier is Horst, kannst du vorbeikommen und mir helfen? Ich muss heute noch 'ne Busfirma gründen … Was? Warum? Oh, das is 'ne lange Geschichte, komm einfach vorbei und hilf mir. Ja, halb drei wäre gut. Müssen wir aber inner halben Stunde fertig sein, weil um drei hab ich einen wichtigen Termin, da brauch ich Ruhe.
Ich lege auf. Na, hoffentlich ist Thomas pünktlich, wäre blöd,

wenn ich die heutige Folge von Raumschiff Voyager verpassen würde.

Beschließe, bis Thomas kommt, mich noch ein wenig mit meinem Glücksbrötchen zu unterhalten. Mein Glücksbrötchen war vor ungefähr 8 Wochen in mein Leben getreten. Damals hatte ich mir vier Brötchen zum Frühstück gekauft, aber nur drei gegessen. Am nächsten Tag kam ich irgendwie nicht so recht zum Frühstücken, am übernächsten nicht mal so richtig zum Aufstehen, gibt solche Tage. Das übrig gebliebene Brötchen wurde mit der Zeit ziemlich oll. Irgendwann wollt ich das dann auch nicht mehr essen. Wegschmeißen mocht ich es auch nicht, immerhin war es ja Brot, also machte ich es schließlich zu meinem Glücksbrötchen. Schien mir das Vernünftigste.

Heute ist es mir richtig ans Herz gewachsen. Ganze Tage sitzen wir manchmal in der Küche und reden über Gott und die Welt. Zwar hat das Brötchen ganz eigene Ansichten über die Schöpfungslehre, hält den Bäckermeister von nebenan für Gott und hegt zeitweise beinah rassistische Vorurteile gegen Vollkornbrot, aber ansonsten ist es wirklich ein feiner Kerl. Wenn wir gemeinsam spazieren gehen, ich ihm ein bisschen die Stadt zeige, dann ist das schon ein herzerwärmender Anblick. Ein Mann und sein Brötchen, was kann es Schöneres, Natürlicheres geben. Klar, hinter unserem Rücken wird oft getuschelt: «Das Brötchen ist doch viel zu jung für den, das geht nicht gut. Irgendwann ist das Brötchen älter, nicht mehr so frisch, er trifft ein hübsches Croissant … und dann? Dann steht das Brötchen vor den Krümeln der Beziehung.»

Aber unsere Freundschaft ist uns wichtiger als das Gerede der Leute.

Es klingelt. Halb drei. Das ist Thomas. Thomas erklärt mir, dass ich zur Gründung einer Busfirma etwas Grundkapital, eine Gewerbelizenz und Fahrer brauche. Na, das ist ja einfacher, als ich dachte. Trotzdem, irgendwie:

– Sag mal, Thomas, meinste nicht, wir haben noch etwas vergessen?

– Nö, wieso? Was denn?

– Busse. Ich glaub, wir brauchen noch Busse.

– Oh verdammt, ja. Busfirma ohne Busse. Das geht nicht lange gut.

– Mist, an irgend'ner Kleinigkeit scheitert's immer. Mal ist kein Klopapier da, mal hab ich vergessen, Busse zu kaufen. Ich hab einfach Pech.

– Komm Horst, das schaffste schon irgendwie. Sei nicht so faul!

– Hey! Von mir zu verlangen, sei nicht so faul, ist so, als würde man das Wasser bitten, sei nicht so nass! Nee, ich muss das irgendwie anders regeln, ich ruf die nochmal an.

– Ja, hier bei Scholz.

– Ja, guten Tag, hier ist Ihre Busreisefirma – Kundenservice: Wir wollten nur mal fragen, wie hat Ihnen denn Ihre Busreise gefallen?

– Die Busreise? Hamm wir die denn schon gemacht?

– Na klar! Letztes Jahr. Wissen Sie das denn nicht mehr?

– Nee, jetzt so direkt im Moment. Nee. Moment, ich frag mal meine Frau. Hmhmhm. Nee, meine Frau weiß auch nich. Wie hat's uns denn gefallen?

– Ohhh. Prima, ganz prima. Schönes Hotel, gute Luft, viel gewandert, Sie fanden das richtig schön.

– Oh, das freut mich aber, dass uns das gefallen hat, obwohl er-innern, ich hab die Reise doch erst heute Morgen …

– Ja, die Sache ist die, wir hatten Ihnen versehentlich einen Prospekt vom letzten Jahr zugeschickt. Die Reise war schon. Nun wollten wir Ihnen deshalb nicht den Urlaub verderben und haben Sie einfach noch in die Reise vom letzten Jahr reingenommen. Sie hatten doch Zeit letztes Jahr im September?

– Ja, da hamm wir eigentlich nix gemacht. War 'n bisschen langweilig.

– Gucken Se, dann machen Sie doch jetzt einfach die Busreise letztes Jahr im September, dann hamm Sie nicht das Gefühl, Sie hätten damals ihre Zeit verplempert.

– Und dann müssen wir gar nicht mehr die lange Busfahrt?

– Nee.

– Das ist ja praktisch. Das ist ja Urlaub völlig ohne Stress!

– Dafür ist unser Unternehmen bekannt. Vor zwei Jahren sind wir übrigens nach Barcelona gefahren. Wollen Sie da auch wieder mit?

– Barcelona? Klingt interessant. Und das is auch wieder schön?

– Ja, die Reise war wunderschön. Das ist ja das Tolle an Reisen, die schon waren, da kann man keine unangenehmen Überraschungen mehr erleben.

– Denn machen wir das doch auch wieder. Die Reise kost auch wieder 1000 Mark?

– Äääh, jaja. Meine Kontonummer haben Sie ja noch, und ich schick Ihnen dann noch ein paar Prospekte von Tirol und Barcelona zu, damit Sie nochmal sehen können, wie schön Ihre Reisen waren.

Ich lege auf, pfeif auf Raumschiff Voyager, hab jetzt mein eigenes Reiseunternehmen und gehe zum Reisebüro, Prospekte holen. Wenn meine Busreisefirma weiter so gut läuft, kann ich mir vielleicht demnächst sogar einen Bus kaufen.

Als ich wiederkomme, hat Thomas für uns beide gekocht:

– Oh, Schnitzel und sogar paniert. Wusste gar nicht, dass ich noch Paniermehl hatte.

– Hattest du auch nicht, aber hier lag noch so 'n altes Brötchen rum …

Ein wirklich trauriges Ende.

Revolution

Früher, es ist noch gar nicht so lange her, war es eines meiner liebsten Hobbys, des Nachts in irgendwelchen Kneipen herumzusitzen und die für das Vorankommen unserer Zivilisation so dringend notwendige, aber jetzt mal hallo schleunigst durchzuführende Revolution zu planen. Wie das nun so ganz genau gehen sollte, wussten wir erst mal meist auch nicht, aber es war klar, dass wir natürlich hinterher das Sagen haben, und dieses ganze Leben so für alle Menschen allüberall irgendwie schon alles in allem relativ prima wird. Danach wurden sämtliche mitgebrachten Revolutionstheorien die ganze Nacht aber so was von durchdiskutiert, bis wir irgendwann frühmorgens alles so weit paletti hatten und diese ganze Revolutionschose jetzt eigentlich losgehn konnte. Dummerweise jedoch waren wir zu dem Zeitpunkt jedes Mal schon so betrunken, dass niemand mehr außer uns selbst unsere Artikulationsversuche dechiffrieren konnte. Trotzdem versuchten wir unser Möglichstes und zogen im Zuge unserer Weltverbesserung laut grölend durch die Straßen:

«Auf, auf, Revolution, geht jetzt los, is alles durchgesprochen und perfekt geplant, kann jetzt losgehn. Alle, die bei der Revolution mitmachen wollen, treffen sich um neun Uhr auf'm Alexanderplatz. Pünktliches Erscheinen sichert bessere Posten in der provisorischen Revolutionsregierung!!! Auf, auf!! Macht alle mit!»

Es ist aber nie jemand auf dem Alexanderplatz erschienen. Zumindest glaub ich das, weil spätestens um acht war ich jedes Mal so müde, dass ich dann doch lieber nach Hause gegangen bin. Am nächsten Morgen erinnerten mich nur noch ein schlimmer Kater und eine Liste mit den Telefonnummern der wichtigsten ausländischen Botschaften auf meinem Kopfkissen an den fast-historischen Vorabend, offensichtlich war ich provisorischer Außenminister gewesen. Schlimmer noch allerdings war es unserm provisorischen Polizeipräsidenten Peter ergangen, der, direkt nachdem er im Polizeipräsidium am Platz der Luftbrücke sein Amt angetreten hatte, für zwölf Stunden in die Ausnüchterungszelle gesperrt wurde.

Psychoratgeber –
Was taugen sie wirklich? –
Ein Selbstversuch

Ausgelöst wurde alles eigentlich von Paula. Die hatte nämlich ihren Wohnungsumzug auf einen Samstagmorgen um 8 Uhr gelegt und dann auch noch den Schneid besessen, unter anderem mich zu fragen, ob ich nicht dabei helfen wollte. Ich wollte nicht. Wie kann man einen Umzug auf 8 Uhr morgens legen und dann noch denken, irgendjemand würde dabei helfen wollen? Das ist doch, als würde man sich mutwillig den Kopf kahl scheren und dann zum Frisör gehen und eine Dauerwelle verlangen. Da sie die Bitte allerdings in einer größeren Runde vortrug, brachte ihr der entstehende Gruppenzwang doch einige nicht nachvollziehbare Zusagen ein. Nur ich weigerte mich standhaft, zuerst durch beharrliches Schweigen, dann mit Argumenten: «Tut mir leid, aber mein Terminkalender beginnt erst um neun, ich kann mir das gar nicht notiern», später nur noch mit Trotz. Aber erst als Thomas anbot, mich um zwanzig vor acht mit dem Auto abzuholen, war ich gerettet. Thomas, der alte Schluffi, niemals würde der das schaffen. Er würde wie immer verschlafen irgendwann zwischen zehn und elf vor meiner Tür stehen. Ich würde verärgert so was sagen wie: «Na, jetzt lohnt's auch nich mehr!», dann Paula anrufen, ihr empört alles erklären, das Ganze wäre Thomas' Schuld und ich fein raus. Verschlagen kichernd nahm ich Thomas' großzügiges Angebot an.

Der Umzugssamstag kam, und ich schlummerte wohlig ein-
gehüllt in meinem Bett, bis mich Thomas herausklingelte.
Genüsslich nahm ich den Hörer in die Hand, wählte Paulas
Nummer und eröffnete: «Tut mir leid, Paula, aber Thomas,
die Pappnase, ist erst jetzt gekommen, es ist immer dasselbe,
ich …», als sie mich unterbrach:

– Kein Problem Horst, es ist zwanzig vor acht.

Ich war entsetzt. Thomas war pünktlich? Fließt Wasser jetzt
bergauf? Stunden, ja Tage hatte ich schon in irgendwelchen
Cafés mit dem Warten auf diese notorische Schnarchnase verbracht. Aber kein einziges Mal war ich auch nur annähernd so
sauer gewesen wie diesmal, da er zum ersten Mal pünktlich war.

In Thomas' Auto, auf dem Weg zu Paula, fragte ich ihn nach
dem Grund für seine plötzliche Unzuverlässigkeit.

– Weißt du Horst, ich hab mein Leben geändert. Den ganzen
Tag nur rumschluffen, nix geregelt kriegen, die meiste Zeit nur
vorm Fernsehn abhängen. Das war mir nix mehr.

Na toll. Als ob mir das immer Spaß machen würde. Klar fällt
einem das nicht immer leicht, aber so ist das Leben nun mal.
Da muss man einfach durch. Der soll sich gefälligst zusam-
menreißen.

Ich fragte ihn, wie er denn diese Veränderung hingekriegt
hätte.

Er lachte:

– Ob du's glaubst oder nicht, mit einem dieser Psychoratgeber
aus einer Zeitschrift.

Er nestelte eine rausgerissene Seite aus seiner Jackentasche. Ich
las:

«10 kleine Psychotricks für ein erfolgreicheres und glück-
licheres Leben!!!»

Es ging los mit dem üblichen Blödsinn. «Sorgen Sie für ausreichend Licht in Ihrer Wohnung, achten Sie auf ein gepflegtes
Äußeres, ernähren Sie sich bewusst, setzen Sie sich kurzfristig

erreichbare Ziele …» Zeugs eben, ich dachte mir ein weltmännisches: Jajaja … und kam zu den konkreten Tipps:

«Überlegen Sie sich immer schon am Vorabend eine unangenehme Pflicht, die Sie am nächsten Tag erledigen werden. Machen Sie dies dann als Erstes nach dem Aufstehen, und Sie werden verblüfft sein, wie Ihnen das Gefühl, schon etwas geschafft zu haben, Energie und Kraft für den ganzen Tag gibt.»

Na ja, das klang plausibel. Mehr Energie haben, bisschen mehr geregelt kriegen, etwas weniger fernsehn, so ganz schlecht würde mir das eigentlich auch nicht tun. Ich beschloss, das Ganze gleich am Montag auszuprobieren. Mein Ziel sollte es sein, endlich mal das Küchenfenster zu putzen. Um sicherzustellen, dass alles gut gehen würde, befolgte ich auch noch den letzten Rat:

«Formulieren Sie Ihr Ziel in einem Satz. Prägen Sie sich diesen Satz gut ein, und sprechen Sie ihn in kritischen Phasen plötzlicher Energielosigkeit zehnmal laut aus.»

Montagmorgen, 9 Uhr, klingelt der Wecker. Schlage frisch und ausgeruht die Augen auf. Will aufstehn. Erinnere mich dann, muss als Erstes Küchenfenster putzen. Habe plötzlich Angst vor dem Aufstehn. Werde schlaff und energielos. Will laut und deutlich zehnmal sagen: «Ich werde mein Leben glücklicher und erfolgreicher gestalten und überhaupt mal irgendwie mehr geregelt kriegen, nich mehr so viel rumhängen.»

Bei der siebten Wiederholung aber schlafe ich, vom Satzaufsagen erschöpft, überraschend nochmal ein.

11.15 Uhr, wache erneut auf, bin diesmal cleverer und nutze die Phase des Satzaufsagens zum gleichzeitigen Aufstehn und Anziehn. Klemme Eimer unter den Wasserhahn und lasse Fensterputzwasser ein. Döse beim Einlassen des Wassers erneut weg, wache aber, als das Wasser über den Eimerrand schwappt und auf meine Hose läuft, schnell wieder auf. Hänge die nasse Hose in das Schlafzimmerfenster, damit sie im starken Wind schnell trocknet. Putze dann das Küchenfenster. Geht gut. Bin verblüffend schnell fertig. Denke: Mensch, is das auf einmal hell in der Küche. Mache das Küchenlicht aus und kann immer noch alles sehen. Bin beeindruckt. Fühle mich energetisch aufgeladen und spüre mächtige innere Zufriedenheit. Gutes Gefühl.

Ein Windstoß erfasst die Hose und schleudert sie nach draußen. Innere Zufriedenheit bröckelt. Schimpfe fürs Erste mal vor mich hin, bis mir auffällt, dass Portemonnaie und Wohnungsschlüssel in der Hose sind. Stürze unüberlegt aus der Wohnung und werfe Tür ins Schloss. Bemerke, wie ich so in meiner Unterhose auf dem Bürgersteig stehe, dass es Januar und sehr kalt ist. Der Wind hat meine Hose bis zur Kreuzung geschleudert. Laufe in meiner Unterhose zur richtigen Hose. Rufe währenddessen unaufhörlich: «Ich werde mein Leben erfolgreicher gestalten und überhaupt mal mehr geregelt kriegen.» Versuche, die mich dabei anstarrenden Passanten zu ignorieren, muss aber ständig an die Forderung: «Achten Sie auf ein gepflegtes Äußeres» denken. Erreiche die Hose. Bemühe mich während des Anziehens der nassen, jetzt auch dreckigen und leicht steif gefrorenen Hose, so normal wie nur möglich auszusehen. Bemerke, als ich die Hose anhabe, dass der Wohnungsschlüssel doch nicht in der Tasche ist. Fühle schon wieder kritische Phase plötzlicher Energielosigkeit in mir hochsteigen.

Erinnere mich, dass sich Freunde immer über mein Wohnungsschloss lustig gemacht haben: «Dit soll 'n Schloss sein, dit iss 'n schlechter Witz, 99 von 100 Leuten haben das in fünf Sekunden mit 'nem stabilen Draht geknackt.» Werde wieder zuversichtlich. Klingel bei der Nachbarin, um mir stabilen Draht zu leihen.

Die Nachbarin betrachtet lange den großen, feuchten Fleck auf meiner Hose, der sich in undefinierbaren Rändern vom Schoß aus über beide Hosenbeine ergießt. Sie sagt aber nix und gibt mir den Draht. Versuche, die Tür mit dem Draht in fünf Sekunden zu öffnen. Nach zehn erfolglosen Minuten gebe ich auf. Bin ein bisschen stolz: «Na, so schlecht ist das Schloss ja offensichtlich doch nicht.» Weine dann still in mich rein.

Ein Mann kommt die Treppe hoch, fragt, ob er mir helfen kann. Sage: «Ich krieg die Tür nicht auf.» Er fragt, ob ich auch bestimmt in der Wohnung wohne. Zeige ihm meinen Personalausweis. Er betrachtet das Foto, bittet mich, den Fußabtreter kurz auf meinen Kopf zu legen, um Haare zu simulieren, nickt; vergleicht meinen Namen im Personalausweis mit meinem Namen an der Wohnungstür, nickt wieder; nimmt den Draht und öffnet innerhalb von drei Sekunden die Tür;

Dann marschiert er in die Wohnung, postiert sich vor dem Fernseher und stellt sich vor:

«Gestatten, Schulze, ich komm von der Gebühreneinzugszentrale, GEZ, Sie haben nicht angemeldete Fernseh- und Radiogeräte in der Wohnung?»

Ich murmel: «Ich werde mein Leben erfolgreicher und glücklicher gestalten und …»

– Wie lange hamm Se den Fernseher schon?

– Ääh, erst gestern gekauft.

– Vorher hatten Sie keinen Fernseher?

– Nein.

Der GEZ-Mann lächelt süffisant, schaut auf die ca. 200 bis zum Rand voll aufgenommenen und beschrifteten Videokassetten und sagt:

– Na, da hatten Sie letzte Nacht aber ganz schön zu tun, was? Na egal, ich denke, wir füllen denn mal gleich die Anmeldung aus, was?

Verdammt, mache einen verzweifelten Versuch:

– Sagen Sie mal, wie verdient man denn so als GEZ-Beauftragter?

– Wie meinen Sie das? Wollen Sie mich bestechen?

– Bestechen? Nein, um Gottes willen, natürlich nicht …

– Ach so. Schade.

Aha. Na denn. Lege 20 Mark auf den Schreibtisch und sage:

– Hoppla, wo kommen die denn her? Kann das sein, dass Sie die hier verloren haben?

– Unmöglich. Wenn ich schon mal überraschend Geld verliere, dann nie weniger als 200 Mark.

Mist, so viel hab ich nicht da. Ich muss verhandeln.

– Ich fürchte in diesem Haushalt können Sie momentan nicht mehr als 50 Mark verlieren.

– Oh nee, dann verlier ich Ihr Geld lieber gar nicht. Aber Ihr Fernseher, den könnt ich mir vorstellen, hier verloren zu haben.

Fünf Minuten später zieht er mit dem wiedergefundenen Fernseher von dannen. Freue mich über die gesparten GEZ-Gebühren, bin aber trotzdem nicht sicher, ob es wirklich ein guter Deal war. Überlege, ob mein Leben jetzt tatsächlich glücklicher und erfolgreicher ist? Na ja, zumindest spricht schon mal einiges dafür, dass ich in nächster Zeit deutlich weniger Fernsehn gucken werde.

Das Wunder der Wrangelstraße

Sitze in meiner Unterhose im Waschsalon und schaue meiner Wäsche beim Gewaschenwerden zu. Das ist ziemlich langweilig. Beschließe, mich demnächst endlich mal aufregender anzuziehen. Wenn meine Kleidung interessanter ist, wird's bestimmt auch spannender, ihr beim Gewaschenwerden zuzugucken. Ich überlege, wie es zu dieser Situation kommen konnte. Wo ich doch alles so durchdacht und umsichtig angegangen war.

Wenn ich etwas unbedingt von mir selbst erledigt haben will, habe ich nämlich eine absolut sichere Methode. Ich hänge in jede Ecke meiner Wohnung Zettel, auf denen steht, was ich jetzt aber mal dringend machen muss. Diese Zettel nerven mit der Zeit so dermaßen, dass der Effekt früher oder später eintritt.

Zurzeit hängen in meiner Wohnung ca. 60 bis 70 Zettel mit der Aufschrift: «Mensch, Horst, jetzt mach aber mal deine Steuererklärung! Los! Los! Los! Mach! Mach! Mann, wird das bald mal was! Hopp! Hopp! Hopp! Nich immer alles verschluren, du Pappnase! Muss doch nicht immer auf den letzten Drücker! Außerdem is 1997 jetzt lange vorbei! Es wird Zeit! Mensch! Mensch! Mensch! Also Hopp!»

Diese Zettel sind die Hölle. Das hält keiner lange aus. Auch ich nicht. Deshalb war ich jetzt auch seit neun Tagen nicht mehr in meiner Wohnung. Dabei hatte ich sogar schon angefangen. Soll heißen: Ich habe die ca. 2 Millionen Quittungen, Belege und sonstiges Zeug der letzten drei Jahre über Schreibtisch, Tisch und Fußboden ausgeschüttet, dann vier Stunden lang fassungs- und regungslos diese Papierberge angestarrt, bis ich dachte: Jetzt ist mal Zeit für 'ne Pause, eine Pizza bestellt, die ich, weil alles voll lag, auf dem Fußboden essen musste, aber nur zur Hälfte geschafft habe, weil ich den Anblick meiner privaten Eiger-Nordwand nicht mehr ertragen konnte und fluchtartig die Wohnung verlassen musste.

Das war, wie gesagt, vor neun Tagen. Die erste Woche habe ich noch wie zufällig bei Freunden übernachtet. Jede Nacht bei einem anderen. Als die aber anfingen, darüber untereinander zu sprechen und langsam misstrauisch wurden, wollte ich die nächsten Nächte mit One-Night-Stands überbrücken. Hat aber nicht geklappt, weil ich ja seit mehr als einer Woche dieselben Sachen anhatte und in ganz Berlin einfach keine Frau zu finden war, die ausreichend verschnupft gewesen wäre, um das nicht zu bemerken. Pech, wenn man mal 'ne Grippewelle braucht, is natürlich keine da.

Habe dann stattdessen die weiteren Nächte in Nachtbussen geschlafen. Da kommt man ganz schön rum. Hab mir zwischendrin endlich mal Malchow-Dorfstraße und Kladow-Hotten-grund angesehn. Na ja, schon ganz schön, aber richtig viel is da nachts auch nicht los. Man sieht ja auch nix, muss ich nicht unbedingt nochmal hin.

Deshalb sitze ich jetzt am Ende des neunten Tages in meiner Unterhose im Waschsalon und schaue meiner Wäsche beim Gewaschenwerden zu. Denke, so kann's nicht weitergehen, jetzt muss mal was passieren. Schlimmer kann's nicht mehr werden. Ach guck, das rote Hemd färbt immer noch ab. Die acht neu gekauften weißen Unterhosen leuchten schon in einem zarten Rosa.

Vielleicht sollte ich eine Wohnungstauschanzeige aufgeben. Bestimmt hat doch irgendjemand in dieser Stadt dasselbe Problem wie ich. Aber warum sitzt der denn jetzt nicht in seiner Unterhose in diesem Waschsalon neben mir? Na ja, sitzt wahrscheinlich in einem anderen Waschsalon. Oder ist dem etwa sein Gestank egal. Na, ganz toll. Na, das wird ja 'ne Wohnung sein, so ungepflegt wie der is. Aber wär ja nur auf Zeit, nur für so lange, bis wir uns beide in der Lage fühlen, unser jeweiliges Problem anzugehen. Also höchstens für fünf, sechs Jahre, denk ich mal. Gute Idee. Aber um die Anrufe auf meine Anzeige entgegenzunehmen, müsste ich in meiner Wohnung sein. Verdammt. Ein Teufelskreis.

Draußen ist es schon dunkel. Beschließe, wenn die Wäsche trocken ist, einfach in meine Wohnung zu gehen. Ich darf nur kein Licht anmachen. Dann sehe ich die Zettel und alles gar nicht.

Zweieinhalb Stunden später komme ich in meine Wohnung. Damit mich die Zettel nicht bemerken, ziehe ich im Flur meine Schuhe aus und tapse auf Zehenspitzen in die Wohnung. Super, es ist so dunkel, ich kann absolut nix sehen. Ich wundere mich kurz, dass ich auf einmal Teppichboden im Zimmer habe. Aber ein stechender Geruch hilft meiner Erinnerung. Die Pizza. Ich bin drin. Mit den frisch gewaschenen Socken. Mist, wenn ich sonst Pizza auf dem Boden habe, ziehe ich immer extra alte Socken an. Dann ärgert man sich nicht so, wenn man reintritt.

Auf dem Anrufbeantworter blinken 14! Anrufe. Holla, da guck, ich bin doch ein gefragter Mann, haha! Und da klingelt das Telefon schon wieder. Hoi, hoi, hoi! Aber wo ist das blöde Ding? Sehe nix. Das Klingeln kommt irgendwo aus der Tiefe des Raumes. Rufe zum Telefon: «Komme schon!», warum, weiß ich nicht, aber ich mache das immer. Schlurfe dann mit meinem Pizzafuß voraus in die Steuerunterlagen, finde als Erstes den Tisch, renne dagegen, falle drauf, Gläser, Tassen klirren, will ihnen ausweichen, indem ich mich vom Tisch abrolle, rolle durch die Scherben, fliege ganz kurz und schlage dann auf dem Boden auf. Das Klingeln wird lauter, ich muss dicht dran sein. Stehe auf und stochere mit meinem Pizzafuß hektisch durch die Unterlagen. Mein großer Zeh erwischt die Schreibtischkante volley, schreie auf, hüpfe auf einem Bein, verliere das Gleichgewicht, stürze erneut und donnere mit dem Kopf gegen das Telefon. Super. Endlich gefunden. Geht doch. Man muss nur systematisch vorgehen. Ich hebe ab.

– Ja hallo?

– Ja, guten Abend, hier ist Marker, CreaTV-Fernsehproduktionen. Sie haben sich bei uns als Probekandidat für Testsendungen von neuen Showformaten beworben?

– Äh, ja.

– Gut. Schön, dass ich Sie endlich erwische, ich hab schon 14-mal angerufen. Arbeitstitel der Show ist Big Doctor, Zielpublikum: Mediziner und medizinisch Interessierte. Ihnen werden neun Ultraschallsonden eingepflanzt, die rund um die Uhr das Zusammenleben ihrer inneren Organe im Körper abfilmen. Das wird dann übertragen. Damit's interessant bleibt, gibt's von Zeit zu Zeit kleine Herausforderungen für ihre Organe, mal ein wenig verdorbener Fisch, mal ein kleines Stück Metall mit den Logos unserer Werbepartner, Sie verstehen. Und alle zwei Wochen können die Zuschauer dann abstimmen, welches innere Organ sie am meisten gelangweilt hat. Das muss dann raus. Klar. Haben Sie Interesse?

– Äh, na ja, kann man da was gewinnen?

– Klar, eine geschmackvolle Vitrine für ihre Organe, und die Ultraschallsonden dürfen Sie behalten.

Lasse mich auf die Liste eintragen und lege auf.

Dann robbe ich zur Wand. Tapse mit der Hand auf den Schalter der Stehlampe. Plötzlich kann ich alles sehen. Ich werfe einen kurzen Blick auf das Gewölle aus Quittungen, Kaffee, Pizza und Blut und falle dann in Ohnmacht.

Die nächsten zwei Tage verbringe ich damit, kurz zu mir zu kommen, das Chaos zu sehen und gleich wieder in Ohnmacht zu fallen. Das mache ich alles in allem 16-mal. Bis das geschieht, was man später das Wunder der Wrangelstraße nennen wird. Nach der 17ten Ohnmacht stehe ich plötzlich auf und gehe die Sache an. In einer 72-stündigen Aufräumaktion erledige ich nebenbei auch meine Steuererklärungen der letzten drei Jahre. Eine absolute Extremerfahrung, die ich mir so nie zugetraut hätte und von der ich noch lange zehren werde. Ja, es gibt noch echte Wunder, man muss sie sich nur zumuten.

Epilog:

Drei Wochen später. Seit zwei Tagen traue ich mich nicht mehr in meine Wohnung. Denn dort hängen ca. 60 bis 70 Zettel, auf denen immer dasselbe steht: «Mensch Horst, jetzt bring endlich mal die fertigen Steuererklärungen zum Briefkasten. Hopp! Hopp! Hopp! Wird's mal bald. Jetzt mal los, los los!!! Koooomm!!!»

Dienstag

Krankheit
und Verderben

Schlimmer Bauch

Mitten in der Nacht geht's los. Bauchschmerzen. Ich denke: «Oh, grimmes Weh durchwehst die Eingeweide grausam gräulich, zeigst garstig abscheulich dein fäulig Antlitz, färbst bläulich, gräulich mein Haupt, und ich denk, da heul ich am besten gleich los.» Ich versuche Schmerz meistens mit Lyrik zu bekämpfen. Da das nicht klappt, beschließe ich dann eben zu jammern, aber möglichst würdevoll, nicht so mimosenhaft, kleinkindmäßig, sondern mehr jammern wie ein Mann: «Oh ha, oh ha oh ha, jungejungejunge, das ist gar nicht gut.» Das funktioniert allerdings auch nicht.
Mit letzter Kraft wähle ich Bovs Nummer.
– Ja?
– Hallo Bov, hier ist Horst. Bov, ich bin sehr krank, oh oh, au ha auha.
– Was? Sag mal, weißt du, wie spät das ist?
– Bov, ich sagte, oh oh, auha auha.
– Es ist halb vier Uhr morgens!
– Halb vier, eine gute Zeit zum Sterben.
– Ach so, ist das alles?
– Nein, du musst kommen und mich gesundpflegen.
– Ich werde nicht kommen.
– Es ist doch nur zu deinem Besten. Wenn ich morgen früh aufwache und tot bin, machst du dir sonst Vorwürfe.

– Nein, Horst, ich tu's nur für dich. Wenn ich mitten in der Nacht zu dir käme und feststellen würde, dass du gar nicht im Sterben liegst, müsste ich dich nämlich leider dafür erschlagen.

Er legt auf. Dieser gefühllose Unmensch. Das wird er mir büßen. Ich lösche seine Nummer aus meinem Festnummernspeicher am Telefon. Das wird ihm eine Lehre sein. Dann rufe ich neun andere Freunde an, damit sie kommen und mich pflegen. Nach dieser Aktion ist mein Festnummernspeicher komplett leer gelöscht und ich habe zehn Freunde weniger. Na ja, so ist wenigstens wieder Platz für neue Freunde, oder für die Nummern von Ärzten.

Mittlerweile ist es acht. Ich könnte nochmal Bov anrufen, und wenn er rangeht, nix sagen und auch nicht atmen. Dann denkt er, ich sei schon tot und macht sich Vorwürfe. Der Gedanke gefällt mir, aber blöderweise kann ich seine Telefonnummer nicht finden.

Vielleicht mal ins ARD-Morgenmagazin gucken, ob die was über meine Krankheit bringen. Vielleicht ist ja grad wieder Epidemie, 'n Virus, Ebola oder so. Na das wär was, dann hätt ich doch wenigstens Gewissheit. Im Morgenmagazin fällt kein Wort von einem Virus. Das heißt, sie wollen es wohl noch geheim halten, damit keine Panik ausbricht.

Oder, ich bin der erste Infizierte. Quasi der Erfinder eines ganz neuen Virenstamms. Der Horst-Ebola-Virus, klingt nicht schlecht, Freunde nennen ihn einfach Hottenebo. Das würde mir gefallen. Ich muss gleich zur Ärztin, damit die das diagnostiziert und mir nicht noch ein anderer zuvorkommt und den ganzen Ruhm wegschnappt.

Im Wartezimmer der Ärztin ist es sehr voll. Trotzdem nimmt sie mich sofort dran, denn ich bin ein Notfall. Die anderen Patienten gucken neidisch, als ich mich an ihnen vorbeischleppe. Damit sie nicht sauer werden, sage ich ständig: «Auauauau» und rufe laut: «Ich bin ein Notfall! Notfall!»

Das beeindruckt sie schon. Die Ärztin betastet meinen Bauch und fragt, ob's wehtut. Ich will kein Risiko eingehen und schreie vorsichtshalber bei jeder Berührung. Ich mache meine Sache sehr gut, denn nach jedem lauten Schrei hört man ein Raunen aus dem Wartezimmer.

Schließlich kommt die Ärztin zur Diagnose. Sie ist nieder-schmetternd.

– Tja, sie hamm sich 'nen Virus eingefangen. Magen-Darm-Grippe.

– Wie Magen-Darm-Grippe? Was soll das heißen?

– Das heißt, dass ich mit Ihnen als Patienten den Nobelpreis sicher nicht gewinnen werde. Gehn Sie nach Hause, legen Sie sich ins Bett, trinken Sie Kamillentee, dann ist das in zwei Tagen wieder gut.

– Das ist alles?

– Beinah, ihr Schmerzensschrei, als ich Ihnen die Stirn gefühlt habe, wegen Fieber, der war etwas zu viel.

Ich bin enttäuscht. Vielleicht sollte ich noch einen Spezialisten hinzuziehen. Einen aus Amerika. Gehe ins Reisebüro. Erkun-dige mich nach Flügen in die USA. Die Reisebürofrau meint, sie glaubt nicht, dass meine Krankenkasse Direktflüge zu Ma-gen-Darm-Grippen-Spezialisten in den Staaten zahlt. Ver-dammte Gesundheitsreform. Na ja, kann man nix machen. Wo ich schon mal da bin, lasse ich sie auch noch gleich einen Blick auf meinen Bauch werfen. Sie denkt auch, das sieht aus wie 'ne Magen-Darm-Infektion. Na ja, dann is ja vielleicht doch was dran.

Den Rest des Tages verbring ich mit depressiven Schüben und Bauchschmerzen. Diese Schmerzen jedoch werden nicht we-niger. Im Gegenteil, am nächsten Tag sind sie schlimmer denn je.

Ich gehe erneut zur Ärztin, aber diesmal muss ich zwei Stunden warten. Eine Grippe ist kein Notfall. So schnell geht das mit dem sozialen Abstieg in Deutschland. Sie betastet wieder meinen Bauch, und ich spüre einen Schmerz, wie ich ihn bislang noch nicht kannte. Sie runzelt die Stirn.

– Tja, vielleicht doch der Blinddarm, der muss raus.

– Wie raus?

– Sie müssen ins Krankenhaus. Operation, noch heute.

– Operation? Die schneiden mir den Bauch auf und nehmen mir da Sachen weg?

– So sieht's aus.

Eine Blinddarmentzündung. Richtig dicke Post. Welche Freude. Ich war doch ernst zu nehmend krank. Ich hätte ihr um den Hals fallen und sie knutschen können.

Ich war der Appendix

Ein Taxi bringt mich zur Notaufnahme vom Urbankrankenhaus. Meine ernsthafte Blinddarmerkrankung hat mir neues Selbstbewusstsein verliehen. Stolz trete ich an den Aufnahmeschalter und sage:

– Guten Tag, ich bin ein Notfall.

– Ach was, wir sind hier die Notaufnahme, hier kommen nur Notfälle.

Aha. Ich hatte verstanden. Hier wehte ein anderer Wind. Hier waren die Anforderungen höher. Von der normalen Ärztin in die Notaufnahme zu kommen ist in etwa so, als wenn man von der Grundschule aufs Gymnasium kommt. Die Frau an der Aufnahme musterte mich.

– Name?

– Horst E …

– Wohnort?

– Berlin, Wr …

– Telefon?

– 030 …
– Krankenkasse?
– Technik …
– Beruf?
– Na ja …
– Geschlecht? Größe? Gewicht? Augenfarbe?
– Äääh …
– Gut. Hier lesen Sie es sich nochmal durch, ob alle Angaben stimmen, und dann unterschreiben.

Ich las mir das Formular durch, tatsächlich, alle Angaben zu meiner Person stimmten. Wie machte sie das bloß?

– Ähm. Kennen Sie mich irgendwoher?
– Nee, woher denn?
– Na, weil hier alle Angaben zu meiner Person richtig sind, obwohl ich die Sätze gar nicht zu Ende sprechen …
– Hören Se mal, ich sitz hier seit 15 Jahren inner Aufnahme. Da kennt man mit der Zeit seine Pappenheimer. Und ihre Versichertenkarte, die sie zu Hause in der linken Schreibtischschublade unter den Kontoauszügen vergessen haben, müssen Sie auch noch irgendwie hierher schaffen.

Ach so, na da wusste ich doch wenigstens wieder, wo sie liegt. Ich war beeindruckt. Ein gutes Gefühl, in den Händen von echten Profis zu sein.

Der Aufnahmearzt kam auch gleich zur Sache.

– Haben Sie Schmerzen?
– Ja.
– Na, dann legen Sie sich doch mal hin, so schlimm ist das doch noch gar nicht.

Dann drückte er auf den Blinddarm, und ich hatte das Gefühl, mein Bauch würde explodieren.

– Sehen Se, das sind Schmerzen.

Stimmte.

– Das is ja herrlich klassisch bei Ihnen, ein richtiger Lehrbuchappendix. Weil, eigentlich ist es ja gar nicht der Blinddarm, sondern der Wurmfortsatz, der Appendix. Das isser.

Dann drückte er wieder drauf.

– Toll. Einfach toll. Genau da, wo ein akuter Appendix sein soll. Sagen Sie, darf ich das meinen Studentinnen zeigen?

Ich dachte, was soll schon sein? Wenn ich doch so einen Lehrbuchappendix habe, so ein Geschenk der Natur, darf ich mich doch nicht der Wissenschaft verschließen. Was sollte schon passieren? Kurz darauf erschienen drei Studentinnen, die jede nochmal auf den Schmerzpunkt drückten. Während mir vor Schmerz die Konturen des Behandlungsraumes vor den Augen verschwammen, wurde mir allmählich klar, was schon passieren konnte.

Als ich einigermaßen wieder bei Besinnung war, fasste ich mir endlich ein Herz.

– Herr Doktor, werde ich durchkommen?

Diesen Satz wollte ich schon immer mal sagen.

– Ach so 'n Appendix. So schlimm ist das doch nicht. Den kratzt zur Not auch noch der Pförtner mit dem Löffel raus!

Das war ein Medizinerwitz. Medizinerhumor ist zumeist etwas sperrig und wenig erfolgreich, was allerdings auch am Publikum liegt. In der Regel todkranke Patienten, wie ich. Diesen Pförtner-Blinddarmwitz sollte ich übrigens in den nächsten drei Stunden bis zur Operation noch 37-mal hören. Er ist sehr beliebt im Urbankrankenhaus.

Hinter dem Vorhang tuschelten jetzt schon die Chirurgen, wer mich operieren sollte.

– Oh nee, ich will den Appendix. Bitte. Ich hab vorher 'ne Leber und 'ne Niere, da brauch ich einfach mal was Leichtes hinterher. Zur Entspannung. Lass mir den Appendix.

Irgendwie fühlte ich mich nicht richtig ernst genommen.

Die Pfleger knobelten mittels Schingschangschong aus, wer mich hochfahren muss. Der Verlierer ist stinksauer und fährt mich, um die Schwestern zu beeindrucken, freihändig hoch. Auf einem Fuß hüpfend, bugsiert er mich mit dem anderen in den dritten Stock. Insgesamt stoßen wir 17-mal gegen Wände oder Türen, was jedes Mal zu leichten Implosionen in meinem Bauch führt. Aber er schafft's, und ich bin auch ein wenig stolz, von so einem geschickten Pfleger gefahren worden zu sein.

Die Stationsschwester sieht traurig aus. Ich glaube, sie hat sogar kürzlich geweint. Vermutlich Liebeskummer. Ich frage sie, ob sie mal auf meinen Blinddarm drücken will, damit sie auf andere Gedanken kommt. Sie drückt, ich schreie auf, und für einen Moment hat sie ihren Kummer vergessen.

Drei Stunden später werde ich zum OP gefahren. Der Pfleger sagt, die OPs sind unten im Parterre, damit der Weg zum Landwehrkanal kürzer ist, wenn mal was schief geht. Dann lachen wir beide gelöst. Zur Belohnung fährt er mich diesmal mit den Händen.

Im OP stellt mir der Anästhesist ungefähr 200 Fragen über irgendwelche Allergien, Krankheiten oder Operationen. Von wegen, ob ich die schon mal gemacht habe. Nachdem ich 40-mal Nein gesagt habe, sage ich einfach mal Ja, um glaubwürdig zu bleiben. Daraufhin bricht eine relative Panik aus, und der Chirurg fragt mich, wer denn die Herztransplantation vorgenommen hätte. Ich gestehe kleinlaut, dass ich jetzt auch einmal einen Scherz gemacht hätte. Dann lache ich ansteckend, und der Chirurg weist den Anästhesisten an, mich sofort einzuschläfern.

Ich bin schon am Wegdösen, als der Chirurg mich nochmal beruhigen will.

– Keine Angst, so 'n Appendix ist keine große Sache, ich habe eine große Berufserfahrung, ich stehe schon seit 30 Jahren unten an der Pforte.

Dann wird alles schwarz, und erst mal ist da gar nix mehr.

Als ich einige Zeit später aus der Vollnarkose wieder aufwache, sitze ich in der U-Bahn. Noch ein abgefahrener Mediziner-scherz? Entweder haben mich die Ärzte einfach unter Vollnar-kose in die U-Bahn gesetzt, oder irgendwas ist wirklich schief gelaufen. Der Bahnhofssprecher brüllt:

– Richtung Himmelstor, zurückbleiben!

Dann betritt ein Kontrolleur mit langem weißem Bart den Wag-gon. Die Türen schließen sich, der Zug fährt ab.

– Die Fahrkarten mal bitte!

Ich habe nur einen Zettel, auf dem Appendix steht.

– Wat iss 'n ditte. Appendix is hier nich jültig. Damit könnse nich mit in 'n Himmel fahrn. Wejen Appendix stirbt heute kei-ner mehr. Müssense wieda aussteigen. Appendix. Höhö, wär ja noch schöner, höhö!

Ich lasse mir seinen Ausweis zeigen. Er holt einen Zettel mit seinem Foto raus. Daneben steht: Ick bin Petrus, wa. Ich bin verwirrt.

– Da sind Se falsch umjestiegen. Mit Appendix können Se nich in 'n Himmel.

Ich frage ihn, warum Petrus berlinert. Petrus sagt, er spricht jeden Menschen in dessen Muttersprache an. Ich sage, ich bin eigentlich aus Norddeutschland.

– Ach so, scha nu, das wusst ich nich, nee, tut mir bannig leid, aber trotzdem, da müssen Se hier wieder aussteigen. Kann man gooor nix machen.

Dann wirft er mich raus.

Ich wache erneut auf. Diesmal im Aufwachraum neben dem OP. Der Anästhesist ist wieder da.

– Na, Herr Evers, auch schon wach? Wie geht's uns denn?

– Ohgaggfkzhsy …

– Wird schon wieder. Die Operation ist gut verlaufen. In drei Wochen ist ihr Knie wieder wie neu!

– LKUJHLUHlkjlb, ich war der Appendix.

– Ich weiß, kleiner Scherz, höhö.

In diesem Moment wusste ich, ich war wieder unter den Lebenden. Bei den lustigen Medizinern vom Urbankrankenhaus.

Suppt's noch?

6.30 Uhr. Der erste Morgen nach meiner Entlassung aus dem Krankenhaus. Mein jetzt neuer Narbenwetterdienst versorgt mich mit den wichtigsten Neuigkeiten: Außentemperatur 4,7° Celsius, Windstärke 0,5, Regenwahrscheinlichkeit 15 %. So eine Narbe spart einem jeden Morgen rund 30 Sekunden, weil man nicht mehr lange aus dem Fenster gucken muss, wie das Wetter ist. So hab ich wieder mehr Zeit für mich gewonnen.

6.30 Uhr, immer noch der Rhythmus aus dem Krankenhaus. Ich muss schnell aus dem Bett, denn durch meine Verletzung bin ich im Moment noch sehr, sehr langsam. Für den Weg vom Bett bis zur Küche brauch ich rund 20 Minuten. Da muss ich mich schnell auf den Weg machen, damit ich Punkt 7.00 Uhr frühstücken kann. Nur so ist gewährleistet, dass ich auch Punkt 8.15 Uhr meinen ersten Stuhlgang habe. Dies muss ich so genau wissen, da ich auch für den Weg von der Küche zur Toilette rund 20 Minuten brauche. Is schon schlimm, da ist man kaum aus dem Krankenhaus raus, und schon weiß man vor Terminen nicht mehr ein noch aus.

Gegen 10 Uhr habe ich endlich alle meine morgendlichen Erledigungen getätigt und kann wieder zurückdenken an die letzten Stunden vor der Operation. Diese Momente, als ich auf dem Stationsbett lag, wartete, dass man mich zum OP brachte, und ich mit den dunklen Stimmen des Jenseits meine Zwiegespräche führte:

– Hallo! Hallo Horst! Wir sind die dunklen Stimmen des Jenseits! Wir sind gekommen, um dich zu holen! Hallo!!!

– Oh nee. Komm, lasst mich in Ruhe. Ich hab im Moment echt genug Scheiße anne Backe. Mir tut der Bauch weh, ich soll gleich operiert werden, ich kann hier jetzt nich weg.

– Horst, du brauchst dich um nichts mehr zu kümmern. Siehst du das gleißende Licht, wo dieses Licht ist, da gibt es keine Schmerzen mehr.

– Oh Scheiße, ist das hell. Das blendet ja wie Sau. Mann, mach bloß das Licht aus. Ich wollt eigentlich vor der Operation noch 'n bisschen nickern.

– Horst. Bei uns kannst du ewig schlafen. Komm, geh einfach in das Licht. Steh auf und geh in das Licht, dann wird alles gut.

– Aufstehn? Bist du bekloppt? Weißt du, wie weh mir das tut? Nix. Ich bin doch froh, das ich mal liegen bleiben kann. Ich steh doch nich freiwillig auf, wenn ich nich muss! Mal is mal Schluss mitte ewige Plackerei hier.

– Komm. Bitte. Bis zum Licht is doch nich weit. Das Stückchen kannste doch nochmal laufen.

– Nix is. Ich bleib hier schön im Bette liegen. Ich bin krank, ich muss hier nich laufen. Wenn's dir so wichtig is, frag doch 'n Pfleger, ob er mich fährt. Aber ich lauf keinen Schritt mehr, kein Stück beweg ich mich.

– Bitte!!!

– Nix is!!!

– Um Gottes willen, kann das sein, dass dieser Idiot sogar zum Sterben zu faul ist?

– Tja, sieht wohl so aus, kann man nix machen, wa.

So kam es, dass wohl letzthin meine Trägheit mir das Leben gerettet hat. Dieses Erlebnis sollte all den hyperaktiven Zeitgenossen, die uns Schlappen und Kaputten ständig in den Ohren liegen, wir müssten mal den Arsch hochkriegen, eine Lehre sein. Im richtigen Moment kann so ein gesundes Phlegma Gold wert sein.

Im Krankenhaus verbrachte ich meine Zeit im Tagesaufenthaltsraum damit, den anderen Patienten bei der Erstellung der Urbankrankenhaus-Fast-Tot-Rangliste zuzuhören.

– Zwei Tage später. Zwei Tage, und ich wär tot gewesen.

– Zwei Tage. Das ja nix. Sechs Stunden warn's bei mir. Sechs Stunden später und ab übern Jordan.

– Hahaha Stunden. 20 Minuten hat der Arzt gesagt, 20 Minuten, und Bruder Hein hätte zugelangt, du. Aber hallo!

– Lächerlich. 20 Minuten, da hätt ich aber noch locker fünf Kinder gezeugt. Das ging um Sekunden bei mir. Bruchteile von Sekunden.

– Ach Gott. Ach Gott. Ich war ja schon zwei Tage tot. Die Ärzte haben mich ja überhaupt nur noch operiert, damit se nich auße Übung kommen. Die hamm vielleicht geguckt, als ich die Augen aufgeschlagen hab, hey das war ein Hallo.

Ich habe mich an diesem Wettbewerb nicht beteiligt, obwohl ich sicher die Chance auf einen Spitzenplatz gehabt hätte, so dermaßen halb tot wie ich war.

Über meine Erinnerungen ist es 11.00 Uhr geworden. Ich muss los zur Ärztin, denn um 14.00 Uhr ist mein Termin, und bis zur Praxis sind es fast 400 Meter.

In der Rekordzeit von 2 Stunden 57 Minuten erreiche ich die Praxis. Die Ärztin freut sich, mich zu sehen.

– Und suppt's noch?

– Ja, suppt noch.

– Dann könn wir die Fäden noch nich ziehen, wenn's noch suppt.

– Nee, suppt ja noch.

– Aber der Eiter muss ja raus, is ja richtig, wenn's suppt.

– Ja, is ja richtig, wenn's suppt, is super.

Wir lachen beide gelöst.

Den Rückweg beschließe ich zum Einkauf zu nutzen. Einkaufen mit frischer Blinddarmnarbe ist verdammt mühsam, da ich nicht nur sehr langsam bin, sondern außerdem auch nicht schwer heben darf. Deshalb kann ich immer nur ein Teil kaufen, was bedeutet, dass mich ein normaler Einkauf, also ca. eine Plastiktüte voll, ungefähr ein halbes Jahr beschäftigen würde.

Daher überleg ich mir immer schon vorher, welches Einzelteil ich kaufe, und will das dann aber auch unbedingt haben. Jetzt will ich ein Stück Kassler. Schon als ich die Frischfleischtheke erreiche, sehe ich, dass nur noch ein Stück Kassler da ist. Der Mann vor mir zeigt auf das Stück. Nein, nach all der Mühsal darf er mir nicht das letzte Stück wegnehmen, ich greife zum Äußersten. Ich ziehe mein Hemd hoch, tippe ihn an, deute auf den leicht durchgesuppten Verband und sage:

«Guck mal.» Er wird bleich, verlässt den Laden, und ich habe mein Kassler. Langsam wird mir klar, was mit dem Satz: «Krankheit als Chance» gemeint ist.

Nach dem anstrengenden, mehrstündigen Rückweg entdecke ich kurz vor meiner Haustür ein 5-Mark-Stück auf dem Bürgersteig. Verdammt.

Außer meinen schon erwähnten Unzulänglichkeiten bin ich im Moment auch nicht in der Lage, mich zu bücken. Beziehungsweise, selbst wenn ich irgendwie runterkäme, könnte ich mich dann vermutlich nie wieder aufrichten.

Kein schöner Gedanke, so lange in gebückter Haltung auf dem Bürgersteig verharren zu müssen, bis mich ein wohlwollender Passant in die Wohnung hochträgt. Und womöglich will er dann auch noch 5 Mark dafür haben.

Ich erinnere mich an einen Satz einer früheren Freundin. Als ich die einmal um eine Beurteilung meines Hinterns gebeten hatte, hatte sie gesagt, nun, ich solle besser nicht zu lange in der Öffentlichkeit in gebückter Haltung stehen, es könnte sonst jemand kommen, mich satteln und mit mir davonreiten. Ein dummer, überflüssiger, absolut nicht zutreffender Scherz meiner ehemaligen Bekannten. Aber trotzdem scheue ich mich seither, mich in der Öffentlichkeit zu bücken.

Andrerseits, 5 Mark sind 5 Mark. Ich will gerade leise in mich reinweinen, als ich etwa einen halben Meter entfernt einen erfreulich großen Hundehaufen entdecke. Die Rettung. Wenn ich erst in den Hundehaufen und dann auf das 5-Mark-Stück trete, müssten die 5 Mark eigentlich am Schuh festkleben, ich könnte locker damit in die Wohnung und dann in aller Ruhe ...

Eine halbe Stunde später bin ich in der Wohnung und 5 Mark reicher. Darüber hinaus ist mir bewusst geworden, dass die Weisheit, Geld stinkt nicht, so auch nicht immer gilt. Da soll noch einer sagen, Kranksein würde nicht das Bewusstsein erweitern.

Kopfschuss

Ein sehr, sehr kalter Nachmittag Ende Februar. Stehe frierend in kurzen Hosen, Sweatshirt und meinen verranzten, uralten Sportschuhen auf einem Schotterplatz irgendwo in Kreuzberg und bin äußerst nachdenklich. Überlege, ob mein Leben wirklich so perfekt, sorgenfrei und umsichtig organisiert ist, wie ich immer behaupte, wenn ich mit meinem Postbanksachbearbeiter über meinen Dispokredit verhandle.

Fußballspielen, selber, mit meiner eigenen Füße Spann und Pike, zum ersten Mal wieder nach über 15 Jahren, im Februar, bei zwei Grad Celsius Außentemperatur. Und alles nur, weil ich vor einigen Tagen in der Kneipe gemeint hatte, ich müsse damit angeben, was für ein toller Fußballer ich in meiner Jugend gewesen sei. Damals in der D-Jugend, ich war so kurz vor dem Sprung zum Profi. Ha. Doch dann, ich war gerade in meiner dritten Saison zum ersten Mal eingewechselt worden, wir verloren 0:21, ich spielte als Einziger in meinem Team eine moderne Raumdeckung, mein direkter Gegenspieler schoss 13 Tore, war alles vorbei. Und nun 15 Jahre später wage ich ein Comeback.

Über all dies denke ich nach, als das Spiel losgeht. Meine Grundstrategie ist dieselbe wie bei jedem Sport, den ich so betreibe. Die ersten zwei Minuten renne ich wie angestochen, so schnell ich nur kann, den Platz rauf und runter. Zwar habe ich in dieser Zeit noch keinen Ballkontakt, aber ich spüre genau, wie meine Gegenspieler ganz schön beeindruckt sind von meiner läuferischen Stärke. Jaaaa, das hatten sie mir nicht zugetraut. Ab der dritten Spielminute jedoch verlässt mich langsam die Kraft. Mein Kopf ist knallrot, ich bin trotz der Kälte klitschnass geschwitzt und gehe erst mal kurz in die Hocke, um neue Kraft zu sammeln. Kurz darauf bekomme ich meinen ersten Ballkontakt. Ich sehe genau, wie der scharf, ja knallhart geschossene Ball direkt auf mich zurast, aber ich bin einfach viel zu fertig, um noch irgendwie ausweichen zu können. Also bleibe ich einfach regungslos hocken und erwarte gelassen mein privates Armageddon. Vor meinem inneren Auge spielt sich nochmal mein gesamtes Leben ab.

Ich sehe, wie mein verschnupfter Vater mich direkt nach der Geburt im Arm hält, sich in seiner norddeutschen Art ein: «Na ja, besser als nix, ne» abringt, und als der Arzt ihn fragt, wie der Junge denn heißen soll, derart niesen muss, dass ihm ein «Hooorsst!» entfleucht und er später zu stolz ist, dieses Missgeschick zu korrigieren, wodurch ich zu diesem Geschenk von einem Namen komme. Wenn man bedenkt, was für ein Fußballer ich hätte werden können, wenn er nicht verschnupft gewesen wäre und ich den ursprünglich für mich vorgesehenen Namen Lothar bekommen hätte, na ja, is jetzt auch egal.

Erlebe nochmal, wie man mich drei Jahre lang Hmmpf genannt hat, weil ich behauptet hatte, ich könne 1a meinen Namen in den Schnee pinkeln, das dann aber doch nicht konnte und dann aus Trotz behauptet habe, das unleserliche Gekräusel im Schnee sei mein eigentlicher Name, der irgendwie aus dem Skandinavischen komme.

Durchstreife meine jugendliche Trotzphase. Die langen Haare, die meiner Mutter so gar nicht gefallen wollten, und mein Vater, der ganz gelassen reagierte: «Ach lass den Jungen man, die langen Haare, das erledigt sich bald schon von ganz allein.» Er sollte Recht behalten.

Ich erinnere mich an Marion, meine erste große, leider sehr einseitige Liebesbeziehung. Ich wollte sie seinerzeit von meiner Person betören, indem ich ihre Sprachkassetten, mit denen sie im Schlaf Fremdsprachen lernen wollte, stahl, und immer mal wieder zwischen die englischen und französischen Lektionen folgende suggestive Botschaft einsprach: «Die andern Jungs sind mir ganz Wurst, ich nehm jetzt lieber mal den Horst.» Kurz darauf hat sie mir gestanden, dass ich ständig in ihren Träumen auftauche und Wurstbrot esse. Heute ist sie Vegetarierin. Spricht aber fließend Englisch und Französisch, wenn auch mit starkem norddeutschen Akzent.

Ich sehe nochmal die völlig durchnässten und aufgeweichten Teppichböden meiner Schule, nachdem ich in einer Pinkelpause einer äußerst mies verlaufenden Mathearbeit die vermeintlich geniale Idee gehabt hatte, diese Arbeit würde nicht gewertet werden können, wenn jetzt plötzlich, auf unerklärliche Weise, ein Wasserschaden entstünde. Dummerweise hatte ich, als ich mein Taschentuch in den Abfluss des Handwaschbeckens stopfte, vergessen, dass meine fürsorgliche Mutter in alle meine Kleidungsstücke meinen Namen eingenäht hatte. Dann sehe ich Herrn Zeeb, den Direktor der Schule und Vorsitzenden des Heimatvereins zur Erhaltung der Stadt Diepholz, der mir verspricht, mir irgendwie das Abitur zu geben, wenn ich garantiere, dass ich dann auch in einer Stadt weit, weit weg von Diepholz studiere.

Ich komme gerade in Berlin an, als der Ball einschlägt.

Man kann nicht unbedingt sagen, ich beschließe, den Ball mit dem Kinn zu stoppen. Aber ich tue es trotzdem.

Das Kinn hält die gewaltige Wucht des Balles nur kurz aus, dann übernimmt die Nase, hält dem Druck aber auch nicht lange stand, sodass ich letztendlich den Ball mit der Augenbraue stoppe; dann aus der Hocke der Länge nach hinschlage und sofort k. o. gehe.

Als ich Minuten später wieder zu mir komme, fragen mich die Freunde besorgt, ob ich noch meinen Namen weiß. Ich sage wahrheitsgemäß «Hmmpf» und will nach Hause. Den skeptischen Freunden sage ich, ich komm schon klar, renne noch dreimal gegen den Torpfosten und mache mich dann auf den Weg zur U-Bahn.

Erst einige Zeit später wird mir klar werden, dass ich dabei meine gesamten Sachen einschließlich Portemonnaie und U-Bahnkarte vergesse, und nun mitten im Februar in kurzen Hosen, verwirrt, hilflos und insgesamt völlig sinnlos durch mir zurzeit völlig unbekannte Straßen stolpere.

Nach einiger Zeit gesellt sich ein Hund mit sehr struppigem Fell zu mir. Irgendwann klingelt der Hund. Ich denk mir nix dabei, immerhin bin ich gerade bescheuert im Kopf, da ist so ein klingelnder Hund fast normal. Der Hund klingelt nochmal. Ich beuge mich über ihn, wühle im Fell und entdecke, dass ihm jemand tatsächlich ein Handy auf den Rücken geschnallt hat. Ich gehe ran:

– Ja, hallo, hier ist Lehmann, offensichtlich haben Sie gerade meinen Charlie gefunden. Er läuft ständig weg, deshalb habe ich ihm auch das Handy auf den Rücken geschnallt. Damit ich ihn leichter wieder finde. Wenn Sie ihn mir vorbeibringen, bekommen Sie 200 DM Finderlohn!

Er gibt mir eine Adresse in Wilmersdorf. Leicht verdientes Geld, denke ich und beschließe, den Hund zurückzubringen. Auch wenn ich im Moment nicht weiß, wer oder was dieses Wilmersdorf sein soll.

Also dackel ich fürs Erste dem Hund hinterher.

Nach ungefähr einer Stunde kommen wir wieder am Sportplatz an. Die Freunde freuen sich, mich im Großen und Ganzen wohlbehalten wiederzusehen, und ich erlaube ihnen, mich anzuziehen.

Rudolf kauft mir den Handyhund, samt Belohnungsanspruch, für 50 Mark ab. Dann dreht er mich in die richtige Richtung für den Nachhauseweg, und ich gehe wieder los.

Kurz nach Einbruch der Dunkelheit erreiche ich den Nollendorfplatz. Das war zwar die falsche Richtung, aber immerhin spüre ich jetzt meinen Körper wieder. Er hat Hunger. Ich stolpere in einen Pizza-Service, bestelle eine Pizza zu mir nach Hause und überrede den Fahrer, mich mitsamt der Pizza gleich dort abzuliefern.

Zwischen-
menschliche
Kontakte

Am Gemüsestand

«Mann, Herr Evers», Herr Birüglü, mein Gemüsehändler, war richtig sauer, «jetzt bist du schon das dritte Mal in einer Woche schlafend in meinen Tomatenstand gefallen! Langsam 'nervt's! Kannst du mir das irgendwie erklären?» Echte Wut blitzte aus seinen Augen. Es half nichts, ich musste ihm die Geschichte, von der ich so gehofft hatte, dass sie nie jemand erfahren würde, erzählen.

Alles begann an einem eigentlich ganz normalen Mittwoch-morgen vor gut einer Woche.

Nachdem ich erwachte, brauchte es eine ganze Weile, bis ich mir sicher war, wo ich mich eigentlich befand. Mein kalter, feuchter Hintern, das rauschende Wasser, die schmerzenden Oberschenkel und die Kloschlüssel auf der ich saß, machten mir klar, dass ich offensichtlich auf der Toilette eingeschlafen war. Mit der Hand an der Spülung. Damit erklärte sich auch mein Traum, in dem ich träumte, ich säße mehrere Stunden ununterbrochen bei laufender Spülung auf dem Klo. Mist, es werden auch immer nur die Träume wahr, von denen man's nich brauchen kann. Ein Blick auf die Uhr, es war elf, machte mir klar, dass mein Einschla-fen schon eine Weile her gewesen sein musste. Ein Blick durch das Badezimmer, unzählige Schminkutensilien, Tampons, eine große Flasche Shampoo und sogar ein Kamm, ließen mich erkennen, dass dies ganz sicher nicht mein Badezimmer war. Oh mein Gott, kein guter Morgen. Ich versuchte mich zu erinnern, zu rekonstruieren. Ich war gestern in der Kneipe gewesen, hatte viel getrunken, da war diese Frau gewesen, die hatte noch mehr getrunken, sogar so viel, dass sie mich dann mit zu sich genommen hatte, ich war hier nochmal aufs Klo gegangen, hatte abgeschlossen und war dann auf der Schüssel eingeschlafen. Alles in allem kam ich zu dem Schluss, dass es sich hier um eine definitiv peinliche Situation handelte. Mein Gefühl sagte mir, dass das hier sicher kein One-Night-Stand gewesen war, mit dem man vor seinen Männerfreunden prima angeben konnte. Genau genommen war es ja auch mehr ein One-Night-Sleep, wenn nicht gar ein One-Night-Kack gewesen. Ich ließ endlich die Spülung los, putzte den Hintern, zog die Hose hoch, wusch mir die Hände und ging aus dem Bad. Kratzspuren an der Außenseite der Toilettentür und ein benutzter Plastikeimer ließen mich vermuten, dass mein Einschlafen auf dem Klo noch für ein echtes Problem gesorgt hatte. Die Frau schlief offensichtlich noch. Ich versuchte mir einzureden, dass man ja auch nicht immer gleich in der ersten Nacht, sofort gleich …, wusste aber aus langjähriger Erfahrung, dass es auch noch tausend andere Wege gab, keinen Sex zu haben, als sich im Klo einzuschließen. Ich überlegte, ob ich es ihr erklären sollte: «Tut mir leid, Durchfall oder so», oder aber «Weißt du, um eine Frau richtig kennen zu lernen, verbringe ich immer erst mal eine Nacht in ihrem Badezimmer. Das schafft irgendwie eine ganz andere Art von Vertrautheit, weißt du …», aber ein Zettel an der Klotür: «Lass uns einfach so tun, als wäre es nie passiert», ließ mich vermuten, dass sie so was gar nicht hören wollte. Vielleicht sollte ich es mal leidenschaftlich versuchen. Irgendwas musste ich doch aus meinem jahrelangen Angucken amerikanischer Fernsehserien gelernt haben. Ich klopfte an ihre Schlafzimmertür und brüllte: «Hey, ich weiß, vieles ist nicht so gelaufen, wie wir es uns vorgestellt haben. Oh nein, das ist es echt

nicht, Mann. Aber vielleicht waren wir einfach zu jung, zu uner-
fahren. Ich glaube, nach allem, was wir zusammen erlebt haben
und auch nicht erlebt haben, verdienen wir eine zweite Chance.
Lass uns einfach sofort wieder in die Kneipe gehen, nochmal von
vorne betrinken und ganz neu anfangen. Ja. Ich denke, das sind
wir uns schuldig!»

Sie brüllte nur: «Schreibtisch!»

Auf dem Schreibtisch lag ein weiterer Zettel: «Nein, Horst, wir
werden uns nicht nochmal von vorne betrinken. Siehst du den
Fotoapparat neben dem Zettel? Mache damit bitte ein paar Fotos von dir, mit denen ich meine Freundinnen vor dir warnen
kann!»

Oh, das klang nicht gut. Um sie ein wenig zu versöhnen, beschloss ich, uns ein leckeres Frühstück zu machen, zumindest
das war ich ihr schuldig.

Im Kühlschrank lagen nur einige Flaschen Bier und die Nummer vom Pizza-Service. Na toll, soll das etwa 'n Frauenkühl-
schrank sein? Das sieht ja genauso aus wie bei mir. Gott sei
Dank bin ich im Bad und nicht im Kühlschrank eingeschlafen,
sonst hätt ich ja nie gemerkt, dass ich nicht zu Hause bin. Na
ja, wenigstens war dann das Frühstückmachen nicht so schwer.
Ich bestellte den Pizza-Service, machte, als er endlich kam, ein
paar Fotos vom Pizza-Serviceboten und verließ die Wohnung.

Alles war nochmal gut gegangen, wenn ich nur nicht die ganze
Nacht so prima bei der laufenden Spülung geschlafen hätte.
Seitdem macht mich das Geräusch von laufendem Wasser einfach extrem schläfrig. «Und da es in letzter Zeit ständig regnet
und Sie, Herr Birüglü, diese blöde Regenrinne vor Ihrem Laden
haben, falle ich laufend in Ihre Tomaten.»

«Verstehe», sagte Herr Birüglü mitfühlend, denn er hatte noch
nie eine so traurige Geschichte gehört.

Galliumarsenid

Mittwochabend, ich sitze zu Hause und spreche mit meinem
Fernseher. Es geht um unsere gemeinsame Planung für die Fuß-
ball-WM. Vor uns liegen schwere Tage, da ist es besser, wenn
man vorher mal alles genau durchspricht. Mein Fernseher ist
schon ziemlich alt, und ich möchte nicht, dass er während der
WM wegen der extremen Belastung einen Infarkt erlebt. Gern
würd ich ihn ausschalten, damit er sich etwas schonen kann,
aber das geht nicht. Er ist meine einzige Lichtquelle im Zimmer. Zwar hab ich vor drei Tagen extra eine Lampe im Zimmer
angeschlossen, um auch mal abends normales Licht zu haben.
Aber ich traue mich seitdem nicht, den Schalter umzulegen,
aus Angst, ich könnte irgendwas verkehrt gemacht haben und
das Ganze funktioniert nicht. Das würde mich deprimieren.
Da lass ich den Schalter lieber aus, denke, es wird schon alles
funktionieren, und habe weiter gute Laune. Ich bin nicht blöd.
Noch einmal streiche ich meinem Fernseher liebevoll über die
Mattscheibe, jetzt nur noch den Anrufbeantworter besprechen,
und meine Vorbereitungen für die WM sind abgeschlossen.
«Guten Tag, Sie sprechen mit dem Anschluss von Horst Evers.
Leider bin ich während der gesamten Zeit vom 10. Juni bis zum
12. Juli im Prinzip, ich sag mal quasi gar nicht in Berlin und
mehr oder weniger auch eigentlich sozusagen gar nicht an-
sprechbar. Die Nachricht gilt für alle Anrufer, außer Sie sind
eine junge und/oder hübsche und/oder reiche Frau.»
So, das wäre auch erledigt, dann kann ich ja noch einen meiner
letzten freien Tage nutzen und auf einen Sprung in die Kneipe.
Als ich wiederkomme, blinkt der Anrufbeantworter wie verrückt. Drei Nachrichten. Die ersten beiden sind wieder nur irgendwelche Millionenangebote. In letzter Zeit kommen ständig
irgendwelche Millionenangebote von irgendwelchen Verlagen,
Fernsehsendern oder Filmfirmen. Klingt aber besser, als es ist.

Wenn man etwas genauer nachfragt, kriegt man nämlich ganz schnell raus, dass die dafür einen Sack voll Sachen geschrieben haben wollen, und auch sonst, dass man dafür ganz viel arbeitet. Na toll, den ganzen Tag schuften wie 'n Tier. So kann ich auch Millionär werden. Nee, nich mit mir, da fall ich nich drauf rein. Erst mal.

Der dritte Anruf ist schon interessanter. «Hallo, ich bin eine junge und hübsche Frau.» Dann folgt eine Telefonnummer. Das klappt ja. Und ich hatte schon Befürchtungen, meine Ansage wäre ein bisschen dämlich. Sofort rufe ich zurück. Diesmal werd ich alles richtig machen.

– Ja?

– Guten Tag, ich habe gerade Ihre Nachricht abgehört …

– Aaaah, sind Sie Horst Evers, der bekannte Experte für Galliumarsenidhalbleiterlegierungen?

– Ääääähhh, ich sag mal, das kommt ganz drauf an; wie jung und hübsch sind Sie denn?

– Ich bin 23, und meine Freunde sagen, ich sähe den ganzen gut aussehenden Frauen relativ ähnlich.

– Jaaapp. Dann bin ich der Experte für dies … äh, für …, für …, äh, was war noch gleich mein Spezialgebiet.

– Galliumarsenidhalbleiterlegierungen.

– Ja, genau dieser ganze Galliumsbereich da, ne, ja. Da bin ich schon ziemlich anerkannt, da kenn ich mich aus. Ja, wann woll'n wir uns denn mal treffen, damit wir dieses ganze Stromzeugs mal richtig durchsprechen können.

– Oh, ich dachte, wir könnten das telefonisch …

– Nee, nee, da sollten wir uns schon treffen, mit diesen ganzen Galliumssachen, damit is nich zu scherzen.

– Das stimmt allerdings. Wir machen uns nur ein wenig Sorgen, ob auch wirklich alles in Ordnung ist. Ihr Urteil würde uns da beruhigen. Passt es Ihnen morgen um 10 Uhr bei mir?

– Bei Ihnen, hamm Sie die Galliumdinger zu Hause?

– Natürlich nicht, aber ich hab alle Daten über die Halbleiter hier. Sie wollen doch wohl nicht die Maschinen aufschrauben?

– Natürlich nicht, das wär ja völlig verrückt, haha, ja, haha, also morgen um zehn bei Ihnen.

Ich ließ mir ihre Adresse geben und legte auf. Mein Plan war genauso einfach wie genial. Ich würde jetzt einfach den richtigen Horst Evers anrufen, mir von ihm alles Wichtige über dieses ganze Galliumhalbleiterbusiness erklären lassen und morgen die Frau mit meinem technischen Sachverstand betören. Perfekte Strategie. Konnte gar nix schief gehen. Leider hatte keiner der Berliner Horst Evers' jemals von dieser Galliumchose gehört. Also beschloss ich, meine Suche aufs ganze Bundesgebiet auszudehnen. Dummerweise war es mittlerweile halb zwei durch, weshalb ich immer irre lange klingeln lassen musste, und wenn endlich einer ranging, es zumeist keine sehr angenehmen Telefonate wurden. Kein bundesdeutscher Evers jedoch hatte je etwas mit Halbleitern oder auch nur Elektrizität zu tun gehabt. Am dichtesten drangewesen war noch ein ehemaliger Maurermeister aus Ennepetal, der vor zwei Jahren beim Versuch, seinen Fernseher selbst zu reparieren, umgekommen war.

Na gut, musst ich mir das Fachwissen eben mittels Lexikon anlesen.

Gallium: Halbmetall der dritten Hauptgruppe des Periodensystems der chem. Elemente mit der Ordnungszahl 31. Als Galliumarsenid dient es als Halbleiter. Es findet Verwendung in der Strahlentherapie und bei Kernreaktoren. Kernreaktoren? Oh nein, und das sollte ich beurteilen?

Ich dachte nur noch einen Gedanken, den aber konzentriert und ausschließlich. Ich dachte: Oh, oh, oh, oh; wörtlich so. Durch die ganze Telefonaktion war es neun geworden, ich rief die Frau nochmal an:

– Ja?

– Hier ist nochmal Horst Evers, sagen Sie, mal angenommen, ich würde mich bei der Beurteilung der Galliumarsenidhalbleiterlegierungen vertun. Was könnte dann schlimmstenfalls passieren?

Sie lachte.

– Aber das wissen Sie doch. Wir würden alle sterben.

– Ach was?

– Ja, krachbumm und weg.

Vor meinem inneren Auge stiegen gewaltige Atompilze auf, die mit krakeliger Rauchwolkenschrift «Horst ist schuld!» in den Himmel schrieben. Mir wurde schlecht.

Ich gestand ihr den ganzen Schwindel, und sie eröffnete mir, dass sie natürlich von Anfang an Bescheid gewusst hätte, sie hatte sich nur verwählt und die Ansage interessant gefunden. Tatsächlich sei sie 56, verheiratet und bei der Post, und da nimmt man natürlich jeden Spaß mit, den einem das Leben noch bietet.

Moral: Männer sollten Frauen nie anlügen, und seien die Motive noch so edel, weil, wenn sie es doch tun, wir womöglich alle sterben müssen. Und das is die Sache nich wert.

Große Augen

In der Fidicinstraße, eine junge Frau mit einem Schäferhund spricht mich an. Ob ich gerade mal kurz auf den Hund … sie müsse nur mal kurz … und der Hund sei auch ganz lieb … zu ihrer Freundin im vierten Stock … geht ganz schnell, aber mit Hund, die Treppen, das ist immer so … und dann macht der womöglich ins Treppenhaus … das ist jedes Mal … ob ich nicht gerade … geht auch ganz schnell …

Ich sage, kein Problem, und sie entschwindet durch die Haustür.

Natürlich habe ich Angst vor dem Hund, aber sie war auch eine junge Frau, und ich bin ein Mann, und sie hat mich angelächelt und große Augen gehabt, und da war es doch selbstverständlich … Gott, Männer sind so simpel gestrickt, wirklich schlimm, aber so ist die Welt nun mal, ich hab die Regeln nicht gemacht, ich kann da doch nu auch nix dran tun, bringt ja auch nix, da einfach auszuschern, da wär man doch sofort bei allen andern Männern unten durch, das geht ganz schnell, das ist rum wie ein Buschfeuer. Was? Der hat der jungen Frau nicht geholfen, die hatte doch große Augen, na der scheint ja wohl mit der Sache durch zu sein, mit dem Horst ist auch nix mehr los, nene da is nix mehr, das is vorbei, ich wäre nur noch «Horst, der der jungen Frau nicht geholfen hat, Evers», geächtet, ausgestoßen, ein psychisches Wrack, das am Rande der Gesellschaft vor sich hinvegetiert. Das bringt doch nix, da pass ich doch lieber grad mal auf ihre Bestie auf und habe Angst.

Immerhin weiß ich, dass man Hunde nie merken lassen darf, dass man Angst hat. Also sage ich recht überzeugend: «Hör mal Hund, ich hab keine Angst.» Das wirkt. Das Tier schaut mich kurz an, und legt sich dann zu meinen Füßen ab.

Nach fünf Minuten denke ich: «Joaa, jetzt is die dann doch schon fünf Minuten weg.» Nach zehn Minuten werde ich unruhig. Nach einer Viertelstunde denk ich: «So, jetzt warteste noch fünf Minuten.» Nach einer halben Stunde stelle ich fest, dass das Haus nur drei Stockwerke hat. Ein Hauch von Misstrauen ergreift meine Sinne. Nach einer Stunde kommt ein Schutzmann vorbei. Fragt: «Wo iss 'n der Maulkorb von dem Tier?» Denke: «Ooh», sage aber weltmännisch, wie es einem Hundehalter gebührt: «Ach der tut nix.»

– «Is jetzt Pflicht, Maulkorb. Hat der denn überhaupt 'ne Steuermarke?»

Oh nee.

– Hörn Sie, das ist gar nicht mein Hund. Eine Frau, mit großen

Augen, hat mich angesprochen, ob ich nicht gerade, sie ist nur zu ihrer Freundin, in den vierten Stock, müsste jeden Moment, und ich bin doch ein Mann, hab ich schon erwähnt, dass sie große Augen …

– Jaja, jaja, dit wird nich billig.

– Ehrlich, das ist die Wahrheit, vielleicht sollte ich mal nach der jungen Frau schaun, wo sie bleibt, wenn Sie so lange auf den Hund aufpassen könnten, wissen Sie, das mit den Treppen …

– Naa jut, meinetwegen, aber machen Se schnell!

Ich gehe zügig durch die Tür, renne die Gasse durch die Hinterhöfe zur anderen Seite des Blocks und gelange so auf die Schwiebusser Straße. Puh, gerade nochmal gut gegangen. Blöd nur, dass sich der Polizist bestimmt an mein Gesicht erinnert. Der wird garantiert nicht gut auf mich zu sprechen sein. Aber vermutlich ist ihm die Sache auch irgendwann zu blöd geworden, oder er wollte sich nur den Spott der Kollegen ersparen, wenn er mit dem Hund auf die Wache kommt. Als ich zwei Tage später wieder in die Fidicinstraße kam, war der Hund zumindest immer noch da. Nur das Herrchen war schon wieder neu und blickte sehnsuchtsvoll zum nicht vorhandenen vierten Stock hoch.

Jennatschek

Die Luft in der Küche schien stillzustehn. Atemlose Stille lag über dem ganzen Raum. Die Dramatik, die Spannung war kaum mehr auszuhalten, ich war völlig gefesselt und begeistert. Meine Hand zitterte, als ich die Brötchenhälfte zum Mund führte. Gott, wie langweilig mein Frühstück früher gewesen war. Jahrelang mit nur einem Glas Marmelade, praktisch immer die gleiche Sorte, kein Wunder, dass ich danach jedes Mal gleich so müde wurde, dass ich am liebsten sofort zurück ins Bett wäre.

Aber jetzt, seit ich vor vier Wochen diese brillante Idee hatte.

Immer vier verschiedene Sorten von der gleichen Marke, sodass alle Gläser identisch sind, dann eine Augenbinde aufgesetzt, damit ich nichts mehr sehen kann, und die Gläser im Stile eines Hütchenspielers so lange auf dem Tisch hin- und herschieben, bis ich beim besten Willen nicht mehr sagen kann, in welche Sorte ich mein Messer gleich eintauche:

Diese Spannung, wenn ich dann die beschmierte Schrippenhälfte zum Mund führe … … … Boaarrhhh … Da brennt die Luft, ich kann dir sagen, das ist der Siedepunkt der Spannung. Erst recht, seit ich vor gut einer Woche auch noch die phantastische Idee hatte, als fünfte Alternative ein leeres Glas dieser Marmeladenmarke mit dieser roten, superscharfen asiatischen Pfefferpaste zu füllen. Yo Mann, das ist Dramatik pur, volles Risiko, Suspense total. Ja, so bin ich, und das ist das Leben, das ich mir gewählt habe: furchtlos, die Gefahr suchend, Leben auf der Kante, kurz … wild!!! Keiner, der den einfachen Weg geht.

Noch immer schwebt die Brötchenhälfte vor meinem Mund, als es an der Wohnungstür klingelt. Ich erschrecke total, stopfe das Brötchen in meinen Schlund, spüre, wie sich die gesamte Flüssigkeit meines Körpers zusammenzieht und in den Mund schießt, um die beißende Schärfe der Pfefferpaste zu neutralisieren, stürze mit der Augenbinde, also blind, zur Spüle, klemme meinen Kopf unter den Wasserhahn, bemerke dabei, dass das gesamte Spülbecken mit kaltem, abgestandenem Spülwasser gefüllt ist, registriere einen stechenden Schmerz im Ohr, den ich als: «vermutlich 'ne Gabel» interpretiere, ziehe die Augenbinde ein wenig hoch, um wenigstens etwas zu sehen, reiße den Kaltwasserhahn voll auf, wodurch das ohnehin volle Spülbecken natürlich überläuft, über T-Shirt und Hose auf den Boden, der dadurch rutschig wird, weshalb ich ins Schlittern gerate und kurzzeitig drohe, in meinem Spülwasser zu ertrinken. …

Das genau mein ich mit: «Ich bin keiner, der den leichten Weg wählt!»

Es klingelt nochmal. Ich gehe zur Tür, gehe zurück, stelle den Wasserhahn ab, gehe nochmal zur Tür und öffne. Etwas in mir weiß von meinen durchnässten Sachen, den Marmeladenflecken auf dem T-Shirt und der Augenbinde vorm Kopf. Trotzdem versuche ich einigermaßen würdevoll auszusehen, obwohl die Pfefferpaste mir immer noch ziemlich zu schaffen macht. Durch einen kleinen Spalt unter meiner Binde erkenne ich den alten Jennatschek aus dem vierten Stock.

– Hallo Herr Evers, Mensch, schön, dass wir uns zufällig treffen!

– Hääääähhhhh … Wie, zufällig? Sie hamm bei mir geklingelt.

– Ja, auch wieder richtig, Herr Evers, darf ich kurz reinkommen?

– Nee, is grad schlecht.

– Wieso?

– Ich … ich … ich sterbe gerade?

Er schaut mich irritiert an.

– Mensch Herr Evers, Sie haben aber auch schon mal besser gelogen.

Das stimmt. Herr Jennatschek drängt sich an mir vorbei in die Wohnung und setzt sich auf einen Küchenstuhl. Ich will die Wohnungstür schließen und erkenne durch den Spalt unter meiner Augenbinde Frau Petrescu aus dem zweiten Stock, die sich mit ihrem Kinderwagen durchs Treppenhaus quält. Nun, da sie mich eh schon gesehn hat, nicke ich ihr freundlich zu. Dabei jedoch fällt die Binde wieder ganz vor meine Augen, ich sehe kurzzeitig gar nix mehr, verliere in der Bewegung die Orientierung, schlage mit der Schulter gegen den Türrahmen, komme dadurch aus dem Gleichgewicht, stolpere mit voller Wucht in die Wohnungstür, die somit wieder ganz aufschlägt und an die Flurwand donnert, wodurch sich aufgrund der Erschütterung ein recht großes Stück Mörtel aus der Decke löst und direkt auf den Kinderwagen zuschießt. Beziehungsweise darauf zugeschossen wäre, wäre ich nicht mittlerweile in meinem Prozess des Taumelns und Fallens so weit fortgeschritten gewesen, dass nun die Phase des «der Länge nach Hinschlagens» beginnt, wobei mein Hinterkopf exakt die Flugbahn des Mörtelstückes kreuzt, welches daraufhin mehr oder weniger deftig auf meinem Hinterkopf einschlägt. Dies rettet den Kinderwagen allerdings auch nur kurzzeitig, da ich direkt im Anschluss mit meinem gesamten Gewicht in denselben krache und ihn gleichsam zertrümmere.

Um herauszufinden, ob mir jetzt schwarz vor Augen geworden ist, nehme ich nun endlich die Augenbinde ab. Leider kann ich alles sehen. Ich blicke auf eine lamentierende Frau Petrescu und ihr schreiendes Kind, das sie erfreulicherweise auf dem Arm trägt. Ich versuche die angespannte Situation durch ein nun wirklich angemessenes: «Na, hätt schlimmer kommen können» aufzulockern, aber ich dringe nicht durch. Stattdessen redet die Deutschrumänin sinngemäß auf mich ein, was das für ein Gott sei, der sie Ceaușescu und der Securitate entkommen lässt, um sie dann in ein Haus, in dem ich wohne, zu führen. Ich beschließe, dass für eine vernünftige Diskussion das Maß an Voreingenommenheit gegenüber mir jetzt einfach zu groß ist, sammle die Kinderwagentrümmer auf, murmel etwas wie: «Kein Problem, reparier ich», gehe zurück in die Wohnung und schließe die Tür.

Herr Jennatschek hat sich mittlerweile eine Zigarette angezündet.

– Alles in Ordnung, Herr Evers?

– Klar, alles paletti, also mal abgesehen von den zwei, drei Rippen, die ich mir vermutlich gerade gebrochen habe.

– Ach. Tun Se die Nacht über Penatencreme drauf, dann ist das morgen wieder gut. Herr Evers, ich brauche Hilfe, und Sie sind der richtige Mann für den Job.

– Ich? Ich war noch nie der richtige Mann für irgendwas.

– Doch, doch. Sie wissen doch, vor einem halben Jahr ist meine Frau gestorben.

– Verstehe. Und jetzt sind Sie deprimiert, wollen auch sterben und denken, wenn Sie sich nur lange genug in meiner Wohnung aufhalten, passiert das von ganz allein.

– Im Gegenteil. Ich habe jemanden kennen gelernt. Über Internet.

Herr Jennatschek ist erst vor gut zwei Monaten in unser Haus gezogen. Da er niemand anders hatte, hab ich ihm beim Einzug geholfen. Sein Hausstand ist für einen Mann seines Alters, Mitte siebzig würd ich schätzen, extrem spartanisch. Ein Bett, zwei/drei Koffer mit Wäsche, ein Schreibtisch, darauf die supermoderne Computer- und Telefonanlage, in der Küche noch ein Stuhl, ein Tisch. Das ist alles, damit bewohnt er eine kleine Einzimmerwohnung in unserem Haus. Jennatschek hat mir seinerzeit erklärt, dass nach dem Tod seiner Frau einfach zu viele Erinnerungen an sie in ihrem gemeinsamen Haus waren. Er hat es einfach nicht ertragen können, es andererseits aber auch nicht übers Herz gebracht, das Haus zu verkaufen. Also hat er sich nur das Nötigste, das er zum Leben braucht, genommen und verbringt seine Tage nun zumeist vor dem Computerbildschirm im Internet. Tauscht Mails mit aller Welt aus.

– Sie haben eine Frau übers Internet kennen gelernt. Aber das ist doch prima.

– Ja, nicht? Und stellen Sie sich vor, sie ist sogar aus Berlin und will mich unbedingt kennen lernen. Die Sache hat nur einen Haken, wissen Sie, sie ist sehr viel jünger als ich.

– Verstehe. Und Sie haben sich natürlich als dynamischen, gut aussehenden, gepflegten, niveauvollen, intelligenten, attraktiven jungen Mann Mitte dreißig beschrieben.

– Nein, ganz im Gegenteil, ich habe ihr von vornherein immer nur Sie beschrieben, Herr Evers.

– Mein ich doch.

– Nein, ich habe Sie dann ganz ehrlich beschrieben, was aber nicht so schlimm war, weil ihr Äußerlichkeiten wohl nicht so wichtig sind.

Jennatscheks Charme war in etwa so verführerisch wie Pendelverkehr. Ich ließ mir nichts anmerken.

– Hör mal, Jennatschek, ich sehe vielleicht etwas individuell aus, aber trotzdem bin ich ja wohl charmant, gepflegt und niveauvoll, oder was?

Jennatschek blickt auf mein durchnässtes T-Shirt mit den Marmeladenflecken, den leicht blutenden Hinterkopf und die umgestürzten und auslaufenden Marmeladengläser auf dem Tisch. Ich sage nichts mehr.

– Sie heißt Maria. Sie treffen sich mit ihr morgen Nachmittag. Ich mag die E-Mail-Korrespondenz mit ihr sehr, und ich möchte, dass das weitergeht. Bitte vermasseln Sie es nicht.

Das war vor genau zwei Wochen. Ich habe mich tags drauf mit Maria getroffen, und wir fanden uns sympathisch. Sehr sympathisch sogar. Der Nachmittag mit ihr hat großen Spaß gemacht. Insgesamt gab es jetzt vier Treffen. Und nach jedem einzelnen sehnte ich das nächste wieder herbei. Die Verabredungen traf natürlich immer Jennatschek mit ihr per Computer, das war unser Deal. Wegen mir hätten es ruhig noch viel mehr Verabredungen sein dürfen, aber ich traute mich nicht, eigenen, sozusagen privaten Kontakt zu Maria aufzunehmen, ja ich wagte es nicht mal, sie nach ihrer Telefonnummer zu fragen, aus irgendeiner unbestimmten Angst heraus, ich könnte Jennatschek damit hintergehen. Immerhin war sie seine Freundin. Er war es, der diese besondere Beziehung zu ihr gefunden und aufgebaut hatte. Das musste ich einfach respektieren, dazu mochte ich auch Jennatschek mittlerweile zu sehr. Oder war sie nicht doch mittlerweile unsere Freundin?

Über all dies dachte ich nach, als plötzlich das Telefon klingelte. Es war Frau Petrescu. Seit dem Zwischenfall vor zwei Wochen ruft sie mich jedes Mal an, wenn sie plant, das Haus zu verlassen, und bittet mich, zehn Minuten in meiner Wohnung zu bleiben, damit sie ohne die erhebliche Gefahr durch eine Begegnung mit mir durchs Treppenhaus kommt. Ich mache ihr offensichtlich wirklich Angst. Ich verspreche ihr, in der Wohnung zu bleiben, hole mir lächelnd eine Tasse Kaffee und gehe damit zum offenen Fenster direkt über der Haustür, um genau beobachten zu können, wann sie rausgeht und die Luft wieder rein ist. Ich zünde mir eine Zigarette an, stelle die heiße Tasse Kaffee so lange auf das äußere, wacklige Fensterbrett und beobachte die Straße. Rund 100 Meter entfernt sehe ich eine Frau, die Maria wirklich ähnlich … nein, das ist sie, gar keine Frage. Ich bin völlig aufgeregt, wenn ich sie so zufällig treffen sollte, das wäre kein Verrat an Jennatschek, das wäre völlig okay. Ich rufe nach ihr, aber sie hört mich nicht. Egal, ich kann sie noch einholen. Wie von Sinnen greife ich mir den Wohnungsschlüssel, stoße die Tür auf und stürze völlig überhastet ins Treppenhaus. Ich sollte nicht sehr weit kommen.

Die zwei Tage im Urbankrankenhaus haben mir eigentlich ganz gut getan und mal Zeit gegeben, über vieles nachzudenken. Nervig war nur Frau Petrescu, die auf derselben Station, drei Zimmer weiter, lag und sich alle halbe Stunde zu mir rüberschleppte, um mich mit wüsten Flüchen zu bedenken. Eine der Schwestern will sogar gehört haben, wie sie sich mit Frau Jansen über mich unterhielt und dabei mehrfach eine Großtante oder Ähnliches aus den Karpaten erwähnte, die angeblich in Sachen Schwarzer Magie einiges auf dem Kasten haben sollte. Aber das beunruhigte mich nicht wirklich. Frau Jansen aus dem Parterre, die mit Frau Petrescu auf einem Zimmer lag, war auch nicht sehr gut auf mich zu sprechen. Nachdem sie Frau Petrescu und mich zusammengekeilt, verletzt und hilflos auf dem unteren Treppenabsatz vorgefunden hatte, hatte sie sofort einen Notarztwagen gerufen, war dann auf den Bürgersteig raus, um ihn zum richtigen Haus zu winken, und wurde dort relativ unerwartet von einem herabstürzenden Pott mit heißem Kaffee niedergeschlagen. Auch nicht gerade ein Glückskind. Aber das Einzige, was mich wirklich beschäftigte, war die Frage, wie ich mit Maria endlich zusammenkommen könnte.

Nach meiner Entlassung aus dem Krankenhaus sahen wir uns praktisch jeden zweiten Tag. Jedes Mal wollte ich ihr die Wahrheit sagen, aber ich brachte es einfach nicht übers Herz. So wäre es wahrscheinlich ewig weitergegangen, wenn sie nicht irgendwann die Initiative ergriffen hätte.

– Horst, ich muss dir etwas gestehen.

– Was denn?

– Ich habe überhaupt keinen Internetanschluss.

– Was? Aber wie konntest du dann?

– Ich habe nie eine E-Mail verschickt, ich weiß gar nicht, wie das geht. Frau Mühlenbeck, eine ältere Dame aus meinem Haus hat mich gebeten …

Ihr war es genauso ergangen wie mir. Wir waren ganz aus dem Häuschen vor Freude. Und wie sich die beiden Alten erst einmal freuen würden. Wir riefen sofort Jennatschek und Frau Mühlenbeck an, um ihnen die tolle Nachricht mitzuteilen. Beide waren nicht zu Hause, also sprachen wir es ihnen auf die Anrufbeantworter.

Bis spät in den Abend redeten Maria und ich aufeinander ein, begeistert von der für alle Beteiligten geradezu idealen Auflösung. Maria erzählte, dass auch Frau Mühlenbeck erst vor kurzem in ihr Haus gezogen wäre, nachdem vor einem halben Jahr ihr Mann gestorben war. Frau Mühlenbeck hatte Maria sogar ein Foto von sich und ihrem Mann gegeben. Sie zeigte es mir. Das Foto war noch nicht sehr alt, und der Mann war Jennatschek. Verdammt, die Alten hatten ihr Spiel mit uns getrieben. So schnell wir konnten, zahlten wir unsere Zeche und rannten nach Hause. Ohne Rücksicht auf Verluste stürmte ich die vier Stockwerke zu Jennatschek hoch, kreuzte dabei den Weg von Frau Petrescu, die sich allerdings der Einfachheit halber gleich freiwillig auf die Stufen warf, und erreichte Jennatscheks Wohnung. Die Tür stand offen. Die Wohnung war leer. Auf dem Küchenbord lag ein Brief.

«Hallo Horst! Ich hoffe, ihr seid uns nicht böse, aber wir dachten, es ist besser, wenn wir uns nicht mehr sehen. Wir sind jetzt fast 50 Jahre verheiratet, und obwohl wir fast immer eine gute Zeit hatten, sind wir uns die letzten Jahre doch zunehmend auf die Nerven gegangen. Hamm die ganze Zeit aufeinander gehockt, wussten nichts recht mit uns anzufangen, und Fernsehn war uns auch langweilig. Also dachten wir, wir machen uns unsere eigene kleine Live-Fernsehshow, und ihr wart die Hauptdarsteller. Ihr wart wirklich toll. Wir haben sozusagen jede Folge begeistert eingeschaltet und richtig mitgefiebert. Danke.»

Was aus den beiden Alten geworden ist, weiß ich nicht. Wahrscheinlich bewohnen sie längst wieder in einer anderen Ecke der Stadt zwei Ein-Zimmer-Wohnungen und stricken an einer neuen Live-Show.

Mit Maria verstehe ich mich immer noch recht gut. Wir sind ziemlich gute Freunde geworden. Zuerst hatten wir gedacht, es könnte vielleicht auch mehr draus werden. War aber nicht.

Frau Petrescu schließlich bewegte sich aus Angst, mir nochmal im Hausflur zu begegnen, einige Zeit mit einer Strickleiter an der Hausfassade entlang zum Bürgersteig und zurück. Das ging aber auch nur so lange gut, bis ich einmal überraschend zum Lüften das Fenster aufgerissen habe und …

Noch im Krankenhaus hat sie meinetwegen Mietminderung beantragt. Ich weiß nicht, ob sie damit durchgekommen ist.

Tarife

Seit einiger Zeit hab ich Angst, zum Telefon zu greifen und jemanden anzurufen. Angst, ich könnte mit einem zu teuren Tarif telefonieren. Die Furcht, irgendeiner Telefongesellschaft auch nur einen Pfennig mehr zu zahlen, als ich unbedingt muss, bringt mich um den Schlaf. Früher wusste ich genau, nachts um 2.00 Uhr is generell ziemlich günstig. Deshalb hab ich auch alle meine Freunde in Westdeutschland nachts um zwei angerufen, was meinen westdeutschen Freundeskreis stetig kleiner werden ließ. Trotzdem, wegen der ständigen nächtlichen Telefonate war ich tagsüber dann immer ganz kaputt. Bald zog ich mir eine schlimme Konzentrationsschwäche zu, irgendwann musste ich mein Studium abbrechen, dann ... Die Telekom hat mein Leben ruiniert. Das ist die Wahrheit. Ähnlich wie mir ging es vielen.

Grundsätzlich allerdings wird das Telefonieren schon immer günstiger. E-Plus zum Beispiel soll ernsthaft darüber nachdenken, für ein Gespräch zwischen zwei Handys ihrer Gesellschaft nur noch 0,2 Pfennig pro Minute zu verlangen, sofern sich beide Handys in ein und demselben Raum befinden.

Andere Gesellschaften planen den «Leben auf der Kante-Tarif». Er beginnt zu jeder vollen Stunde bei 95 Pfennig pro Minute, arbeitet sich dann immer weiter runter, bis er in den negativen Bereich wechselt, man also kurzzeitig fürs Telefonieren sogar Geld von der Telefongesellschaft bekommt, um dann gegen Ende der vollen Stunde plötzlich unangekündigt auf tausend Mark pro Minute zu springen. Diese ca. zweiminütige Tausendmarkphase nennt man dann den Auha-Tarif. Dieser Auha-Tarif scheint der momentanen Verfassung der Telefongesellschaften völlig zu entsprechen. Es ist, als seien sie der Spielleidenschaft, dem Zockertum verfallen.

Ich vermute ja, wenn ich morgen zur Telekom gehen würde,

ihnen meine Rechnung auf den Tisch knalle: Hier 74 Mark 83, is nich viel, wat is? Hier iss 'n Würfel! Doppelt oder nix! Ich glaub, die würden's machen.

Sex in der Wahlkabine

Ein Mittwochmorgen Ende August. Frau Maltke aus meinem Stammkiosk begrüßte mich mit einem knackigen: «Ich glaube, wir kriegen einen richtig harten Winter!» Aha. Gestern noch hatte sie mich mit ihrer Sommerbegrüßung: «Das soll ja noch richtig heiß werden» empfangen. Damit war es amtlich. Der Begrüßungswechsel von Frau Maltke gilt in Insiderkreisen seit Jahren als offizieller Starttermin für eine neue Jahreszeit. Von nun an war also Herbst. Na toll. Wieder war ein Frühling und ein Sommer vertan, und ich stand erneut im Herbst dumm rum, ohne die Liebe meines Lebens gefunden zu haben. Super. Wie viele Frühlinge und Sommer würden mir wohl noch bleiben? Mich befiel eine Nachdenklichkeit, die schon fast in Melancholie lappte, eine regelrechte Herbststimmung. Na, hatte Frau Maltke mit ihrer Verkündung des Jahreszeitwechsels doch wieder Recht gehabt.

Ich kaufte eine Zeitung, und noch auf der Straße schlug ich den Teil mit den Bekanntschaftsanzeigen auf, um mal zu gucken, wer noch so alles vom Frühjahr und Sommer übrig geblieben war. Man weiß ja nie, vielleicht ließ sich ja aus den Resten der diesjährigen Beziehungssaison noch irgendwas richtig Tolles zaubern. Ich musste gar nicht lange suchen, bis ich auf folgende Anzeige stieß:

«Junge, bildhübsche Akademikerin mit geregeltem Einkommen sucht dummen Mann für zügellosen Sex. Bei gegenseitiger Sympathie späteres Gespräch nicht ausgeschlossen. Kennwort: Resteessen.»

64

Na, das klang ja gar nicht schlecht. Da wurd's doch gleich wieder Sommer. Ich war sofort verliebt.

Zu Hause setzte ich als Erstes ein Antwortschreiben auf. In krakeliger Schrift mit möglichst vielen Rechtschreibfehlern pries ich mich an.

«Hallo, du kannst nur mir meinen, dein Traummann!» Dazu schrieb ich meine Adresse und legte ein Foto von Leonardo di Caprio bei. Das war perfekt, das würde ihr zeigen, wie blöd ich war, und so viel Dummheit musste sie doch beeindrucken.

Nach einer Woche, in der ich mich bemühte, immer noch dümmer zu werden, was mir erstaunlicherweise überhaupt nicht schwer fiel, bekam ich ihre Antwort.

Es war ein kopierter Brief, in dem sie sich überrascht davon zeigte, wie irrsinnig viele Rückmeldungen sie auf ihre Anzeige bekommen hätte. Sie hätte gar nicht gewusst, wie viele dumme Männer es in Berlin gäbe und dass 95 Prozent von ihnen auch noch aussehen wie Leonardo di Caprio.

Da sie sich unmöglich mit allen treffen könne und möglichst gerecht auswählen wolle, bat sie um einen zweiten Brief, in dem wir unsere Dummheit möglichst eindrucksvoll nachweisen sollten.

Ich schrieb ihr, dass ich früher Eilzusteller bei der Post war. Als mir der Botenmeister einmal einen Eilbrief gab, der an mich selbst adressiert war, stieg ich in meinen Postgolf, fuhr zu mir nach Hause, klingelte an meiner Wohnungstür, stellte fest, dass ich nicht da war, schrieb «nicht angetroffen» auf den Brief und brachte ihn dem Botenmeister zurück.

Als zweiten Beleg für meine Dummheitsqualifikation berichtete ich von einem Erlebnis, als ich einmal bei einer Frau auf dem Klo eingeschlafen war.

Das, so dachte ich, sollte eigentlich als Bekloppptheitsnachweis reichen.

Eine weitere Woche später kam ihr nächster Brief. Dass die Eilbriefgeschichte ausgedacht war, hätte sie bemerkt, aber allein die Tatsache, dass ich einmal bei der Post war, kombiniert mit der zweiten Geschichte, hätte dazu geführt, dass ich mich für die letzten drei Männer qualifiziert hätte, mit denen sie sich nun persönlich treffen wollte, um den definitiv dümmsten Mann von uns zu küren.

Ja, ich hatte es geschafft. Ich wusste es immer, in irgendwas musste ich doch richtig gut sein.

Am verabredeten Tag erschien ich um 17.30 Uhr, eine halbe Stunde zu früh, an unserem Treffpunkt. Ein Lokal in Kreuzberg. Um sie zu beeindrucken, wählte ich den mit Abstand schlechtesten Tisch im Lokal aus, direkt neben der Herrentoilette. Ich hatte mich absichtlich dumm angezogen, so im Rolf-Eden-Stil, und positionierte unser Erkennungszeichen, eine Modern-Talking-CD, gut sichtbar auf dem Tisch.

Punkt 18.00 Uhr erschien sie.

– Hallo, du musst Horst sein. Hast du's gleich gefunden?

– Klar, kein Problem … äh, das heißt nein, ich hab mich völlig verlaufen, bin stundenlang rumgeirrt, hat ewig gedauert, aber machte nix, weil ich viel zu früh war, weil ich die Uhr nicht lesen kann.

Das Leuchten in ihren Augen zeigte mir, wie zufrieden sie mit meiner Blödheit war. Verdammt, irgendwoher kannte ich dieses Leuchten. Ich überlegte, ob ich ein Bier bestellen sollte, hatte aber Angst, ich könnte dann irgendwann zu betrunken sein, um meine Blödheit vernünftig weiterspielen zu können. Wenn ich vom Alk zu dumm wäre, würde ich dann womöglich irgendwann zu intelligent wirken, und sie würde mich dann nicht mehr für dumm halten. Dabei konnte man wirklich bescheuert werden.

Ich wollte eine Selters bestellen, winkte dem Kellner und schmiss dabei die Blumenvase um. Ich war etwas beruhigt, dass meine natürliche Blödheit auch schon nicht schlecht war.

– Also gut, begann sie, starten wir den Test. Stichwort: erotische Phantasien. Eine meiner ältesten erotischen Phantasien ist Sex in der Wahlkabine. Was hältst du davon?

Ha, eine Fangfrage. Sex in der Wahlkabine geht gar nicht. Jeder Mensch weiß, dass man eine Wahlkabine nur allein betreten darf. Sex in der Wahlkabine ginge also nur, wenn man Briefwahl macht und zu Hause eine Wahlkabine aufbaut. Darauf würde ich nicht hereinfallen, also sagte ich im Brustton der Überzeugung:

– Geil, Sex in der Wahlkabine! Find ich geil!

Sie nickte zufrieden, und ich konnte nicht verhindern, dass mein Knie vor Freude hüpfte, an den Tisch stieß und erneut die Blumenvase umkippte. Alles lief perfekt, und jetzt lachte sie sogar. Aber verdammt, dieses Lachen kannte ich doch. Um Gottes willen. Sie war die Frau, auf deren Toilette ich eingeschlafen war. Oh, oh, oh. Sie erkannte an meinem Gesicht, dass ich mich wieder an sie erinnerte. Mir wurde schlecht.

– Is schon gut, Horst, mittlerweile, mit etwas Abstand, find ich die Geschichte selbst fast lustig.

– Ehrlich, es tut mir leid. Und übrigens, ich bin gar nicht so blöd, ich weiß, dass Sex in der Wahlkabine nicht geht.

Sie lachte, ich lachte auch, und es wurde ein richtig schöner Abend. Die Anzeige in der Zeitung hatte sie nur für mich aufgegeben. Sie hatte geahnt, dass ich darauf reagieren würde. Wir tranken und lachten weiter, und am Ende lud ich sie in meine Wohnung ein.

Als wir die Wohnung betraten, bat ich sie, kurz zu warten, damit ich das Schlafzimmer zumindest noch in einen einigermaßen erträglichen Zustand bringen konnte. Sie sagte, sie müsse sowieso noch auf Toilette. Ich kramte die Wäscheberge, Zeitungen und Bücher auf einen großen Haufen, warf eine Decke drüber und beschloss, das Ganze als Designersessel zu bezeichnen, als mir plötzlich ein schrecklicher Verdacht kam. Ich riss die Schlafzimmertür auf und sah sie gerade noch mit

einer Wolldecke, meinem Schlafsack, der Hälfte meines Kühl-
schrankinhaltes, einem Radio und mehreren Büchern in meiner Toilette verschwinden und von innen abschließen. Okay,
ich würde nicht an die Tür trommeln und sie bitten aufzuwa-
chen. Sie sollte ihre Rache haben. Sie hatte alles Recht dazu.
Verdammt, sie war wirklich gut. Still lächelnd ging ich durch
mein Zimmer, schaute aus dem Fenster und freute mich über
die Dixi-Toilette auf der Baustelle gegenüber.

Das Gespräch

Der Nachtbus ist ziemlich leer. Total leer, um genau zu sein.
Nur ein einziges Pärchen sitzt noch auf der Bank neben mir.
Die beiden sagen nix, gar nix. Ich beobachte sie.
Ihr Blick sagt, irgendetwas stimmt nicht.
Ihre Körperhaltung verrät, es hat irgendwie mit ihm zu tun.
Die kleinen Furchen auf ihrer Stirn lassen erahnen, das Ganze
geht vermutlich nicht gut aus.
So sitzen sie schweigend nebeneinander. Ziemlich lange. Reale
Zeit: drei Stationen. Für die beiden gefühlte Zeit: rund sechs
Monate, plus/minus 20 Tage.
Ich bin froh, dass ich nicht die beiden bin, finde aber trotzdem,
sie sollten über ihr Problem reden. Schon allein meinetwegen,
mir ist doch auch langweilig. Ich finde die zwei ein bisschen
rücksichtslos. Fühlen sie sich etwa beobachtet, quatsch, wir drei
sind doch völlig allein. Ich beschließe, es ihnen ein wenig leichter zu machen, indem ich mein Buch raushole und die Nase
da reinstecke. Ich kann sowieso besser zuhören, wenn meine
Augen auf irgendetwas starren können.
Das klappt. Endlich hält er die Stille nicht mehr aus und wagt
einen Vorstoß:
– Ach komm, lass uns das Thema wechseln.

– Welches Thema?

– Keine Ahnung, aber ich bin mir sicher, mir wäre ein anderes Thema lieber.

– Nein, du wirst dich jetzt einmal damit auseinander setzen.

– Womit?

– Das weißt du ganz genau. Oder hörst du mir etwa nicht zu.

– Natürlich höre ich dir zu.

– Dann würde mich jetzt mal dein Standpunkt dazu interessieren.

– Ääähh, na ja, ich denke, man kann die Sache so und so sehen.

– Nennst du das etwa einen Standpunkt?

– Nein, nicht direkt, aber worum geht's denn überhaupt?

– Na toll. Du weißt also wieder mal überhaupt nicht, worum es geht. So bist du!

Wieder Schweigen. Die Sache lässt sich aber ganz gut an. Hoffentlich müssen die zwei nicht so früh aussteigen. Er nimmt das Gespräch wieder auf.

– Geht's um meinen Alkoholkonsum?

– Nein.

– Hm. Darum, dass ich oft zu wenig aufmerksam bin?

– Nein.

– Äh, geht's ums Kinderkriegen?

– Nein, aber wo du schon davon anfängst, wir sollten mal darüber reden.

Die Sache fängt an, interessant zu werden.

– Du hast mit deinen Freundinnen gesprochen?

– Ja, zufällig. Und jetzt fängst du auch noch damit an. Das ist doch irgendwo ein Zeichen, oder?

– Ich dachte, wir wollten uns damit noch ein wenig Zeit lassen.

– Du hast doch davon angefangen.

– Na ja ...

– Außerdem, so viel Zeit ist gar nicht mehr. Ich bin jetzt ...

– Ich weiß, wie alt du bist.

– Immerhin.

Der Bus hält an meiner Station. Ich beschließe, dass es ein Skandal ist, dass sich die Menschen in dieser Zeit kaum mehr füreinander interessieren und komme mit mir überein, dass ich da nicht mitmache und deshalb mit den beiden weiter Richtung Köpenick fahre. Wie um mich für diese großherzige Tat zu belohnen, startet er den nächsten Anlauf.

– Weißt du, Kinder, irgendwie liegt mir das nicht so. Und ich hab eigentlich nur Spaß an Sachen, die ich richtig gut kann.

– Ach ja? Und ich dachte, dir gefällt unser Sex.

– Wie meinst du das?

– Ach das gehört jetzt nicht hierher.

– Was bitte ist nicht in Ordnung mit unserem Sex?

– Nichts. Nichts. Ich dachte nur, vielleicht täte es ihm ganz gut, wenn er irgendwo einen tieferen Sinn hätte.

– Gut, lassen wir das Sexthema. Das ist vielleicht auch nichts für die Öffentlichkeit.

Ich brülle sofort: «Ich hör überhaupt nicht zu, keine Angst, außerdem interessiert mich dieses ganze Sexzeugs auch gar nicht! Ehrlich.» Die beiden sind beruhigt. Das war einfacher als gedacht. Er redet weiter zu ihr:

– Sagt man nicht immer: Kinder kommen, wann sie wollen?

– Na, da haben sie dir ja was voraus.

– Komm, jetzt hör mit diesem Mist auf.

– Schon gut. Aber guck mal. Du klagst doch immer über diese technischen Neuerungen, mit dem Computer, Internet und so. Dass du das immer schwerer kapierst. Ein Kind würde das von klein auf lernen und könnte dir dann einfach das, was du wissen musst, erklären.

– Okay, dadurch wäre mein Leben einfacher, also zumindest ab dem Moment, wo es alles schneller begreift als ich.

– Also nach zwei bis drei Jahren.

– Ich bin geistig noch sehr rege!

– Geistig schon.

– Hör mal, so hilfst du uns auch nicht. Außerdem, weißt du überhaupt, was so ein Kind kostet?

– Das zahlt der Staat.

– Welcher Staat?

– Hm. Weiß nicht genau, eventuell müssten wir umziehen.

– Vielleicht reicht es ja auch, wenn nur das Kind umzieht.

Der Bus hält S-Bahnhof Treptower Park. Verdammt, das geht ziemlich weit raus. Vielleicht sollte ich versuchen, die zwei zu einer Tasse Kaffee hier in der Nähe zu überreden. Ich würd mich auch dazusetzen und völlig taub in mein Buch gucken. Aber sie redet schon wieder weiter.

– Gut, vielleicht zahlen wir die ersten 20 Jahre drauf, aber im Alter sind wir froh, wenn wir Kinder haben, die für uns sorgen.

– Du meinst so, wie wir jetzt für unsere Eltern sorgen?

Ich lache auf. Die beiden starren mich an. Verdammt. Ich sage geistesgegenwärtig: «Das Buch, sehr lustig, das Buch, haha. War grad sehr lustig, haha.» Die beiden blicken auf das Französischwörterbuch in meiner Hand und glauben mir kein Wort. Sie fahren noch schweigend drei Stationen und steigen dann aus. Ich denke: «Ja, toll, schweigt ihr nur, meint ihr, dass mich euer blödes Gespräch interessiert hätte», steige dann auch aus und folge den beiden durch die dunkle Nacht, immer mein Buch vor Augen. Sie redet schon wieder.

– Na ja, wir müssten die Kinder natürlich entsprechend erziehen. Es müsste für sie die natürlichste Sache der Welt sein, dass alles, was sie jemals erreichen oder verdienen werden, ihren Eltern mindestens mal genauso sehr gehört wie ihnen selbst.

– Klingt gut. Aber sag mal, sprichst du jetzt schon von mehreren Kindern?

– Logisch. Einzelkinder werden später immer irgendwie komisch.

– Ich bin Einzelkind.

– Weiß ich doch.

Ich muss wieder lachen. Diesmal glauben sie mir die Geschichte mit dem Buch nicht. Schweigend gehn sie bis zu ihrem Haus und lassen mich trotz flehentlicher Bitten: «Ich sitz nur still daneben, hör gar nicht zu», draußen stehn.

Ich klingele noch einmal bei ihnen. Der Mann kommt herunter, schaut mich sehr streng an und sagt:

«Hörn Sie mal, ich verbringe einige Zeit meines Lebens damit, auf irgendwelchen Bühnen zu stehen und Texte von mir vorzulesen. Und wenn Sie nicht sofort Ruhe geben, werde ich diese Geschichte auch aufschreiben und vorlesen. Und glauben Sie mir, ich werde Sie zum Ich-Erzähler machen, und ich werde Sie als ziemlichen Trottel dastehn lassen.»

Dann dreht sich der doch sehr sympathische, gut aussehende, kluge junge Mann um und geht weg, wie ein Herr.

Ein toller Typ, denke ich, rutsche aus und falle in eine Pfütze, was mir allerdings ganz recht geschieht.

Donnerstag

In der Stadt

An einem Morgen wie jeder andere

Es gibt Tage, die fangen schon richtig blöde an. Dieses war so
ein Tag. Wie kann ein Tag blöder anfangen, als wenn man mitten in der Nacht, um fünf Uhr morgens aus dem Schlaf auf-
geschreckt wird. Immerhin war ich erst vor einer Dreiviertelstunde ins Bett gekommen. Dieses schien ein richtig schlechter
Tag zu werden. Die Stimme, die mich weckte, war erschröcklich
schroff, und als ich langsam erkannte, dass der Resonanzkör-
per, der dieser Stimme ein solch vitales Volumen verlieh, in der
Uniform eines BVG-Nachtbusfahrers steckte, reifte in mir die
Vermutung, dass dies womöglich sogar der König der Scheiß-
tage war. Flugs zimmerten meine trägen Hirnsynapsen noch
einen zweiten bestechend logischen Gedanken:
– Horst, das hier ist gar nicht dein Bett. Horst, das hier ist ein
Nachtbus. Horst, und das ist gaaaar nicht gut. So.
Dann war erst mal wieder Schluss mit Denken.
– Soo, aussteigen jetze, Sie sind zu Hause.
– Zu Hause? Wo zu Hause.
– Na Endstation, Tegel-Ort, wa.
Tegel-Ort. Nördlicher Stadtrand. Tegel-Ort war nicht zu Hause.
Genau genommen war Tegel-Ort so ziemlich das genaue Ge-
genteil von zu Hause. Tegel-Ort, das war: am Arsch der Welt.
Und der hatte im Moment auch noch Durchfall. Draußen reg-
nete es in Strömen.

Nix gegen Tegel-Ort persönlich. Auf keinen Fall will ich die Tegel-Orter hier beleidigen. Aber morgens um fünf, bei strömendem Regen in Tegel-Ort, das ist schon wie beide Arme in Gips, eine ständig laufende Nase und eine weit vorstehende Unterlippe zu haben. Halt richtig blöde.

Ich fragte den Fahrer, ob ich nicht im Bus bleiben könnte, bis er wieder in die Stadt zurückfährt.

– Nee, dit jeht nich. Ick hab jetzt Feierabend. Der Bus fährt erst wieder inner halben Stunde. So lange kann ich Se hier nich drin allein lassen. Tut mir leid. Höhö.

Ich versuchte ihm den Bus abzukaufen. Er lachte.

– Höhö. Sie sind lustig. Sie jefalln mir. Und jetzt raus!

Ich stieg aus und stellte mich in den Regen. Zwar waren's bis zum Unterstellhäuschen nur knapp 50 Meter, aber ich beschloss, still stehen zu bleiben und mich ordentlich durchregnen zu lassen, nur so würde ich vielleicht endlich lernen, dass man im Nachtbus verdammt nochmal nicht einschlafen darf. So bin ich, hart, aber gerecht. Nach gut zwei Minuten, als mir die ersten Tropfen durch die Poritze rannen, kam ich zu der Überzeugung, dass der Pädagogik nun Genüge getan sei, und ging zum Unterstellhäuschen. Der erste Bus kam aus irgendwelchen Gründen nicht, mit dem zweiten fuhr ich, rund eine Stunde später, zum nächsten U-Bahnhof in Tegel-City, dem Herz dieses nördlichen Außenbezirks von Berlin. Da mein Fahrschein mittlerweile abgelaufen war, kaufte ich mir einen neuen und stieg in die U-Bahn.

Knapp eine Stunde später weckte mich erneut eine laute Stimme:

– So, Endstation! Aussteigen jetze, Sie sind zu Hause!

Irgendwie kam mir das alles sehr vertraut vor.

– Lassen Sie mich raten. Südlicher Stadtrand? Alt-Mariendorf?

– Jaaap!!!

Na prima. Diese Sache mit dem Heimweg wuchs sich langsam zu einem richtigen Problem aus. So konnte das nicht weitergehn. Wenn ich mich jeden Morgen erst mal mehrere Stunden mit so 'm Scheiß rumschlagen muss, komm ich doch nie voran. So kann man doch nicht arbeiten.

Ich musste eine Lösung finden. Ich überlegte, was es mich kosten würde, an jeder Endhaltestelle des Berliner Nachtbusnetzes eine Wohnung anzumieten. Kam aber zu dem Schluss, dass die Kosten wohl so hoch wären, dass ich mir die BVG dann sicher nicht mehr leisten könnte. Mir blieb also nix, als es mit dem Heimweg immer und immer wieder zu versuchen. Irgendwann musste es doch mal klappen. Vorsichtshalber schrieb ich noch meine Adresse auf einen Zettel und hängte ihn mir um den Hals. Wenn das keine geniale Strategie war.

Als mich der nächste U-Bahn-Schaffner eine Stunde später zurück im Norden in Tegel weckte, fiel bereits ein leichter Schatten auf die Genialität dieser Strategie. An der Stelle des Zettels klebte ein Aufkleber: «Nicht hupen! Fahrer träumt von Hertha BSC.» Der Zettel war weg, mehr noch, auch mein Haus- und Wohnungsschlüssel fehlte. Ich musste einräumen, dass mein ausgefuchster Plan wohl doch den ein oder anderen Schwachpunkt aufwies. Mittlerweile war es nach neun, die Läden hatten geöffnet. Ich beschloss, diesmal ganz auf Nummer sicher zu gehen und die Tegeler Fußgängerzone zu besuchen, um mir einen Wecker zu kaufen. Verblüffenderweise hatte mir der Dieb das Portemonnaie gelassen. Na ja, vermutlich war ich so fett auf meinem Hintern gesessen, dass er einfach nicht an die Gesäßtasche rankam. Prima, da würd ich der Polizei ja nur sagen müssen, Hertha-Fan, mit vermutlich gequetschten Fingern, dann Rasterfahndung, das würde ganz schnell gehn. Mein Hirn arbeitete schon wieder tadellos.

Im Kaufhaus suchte ich mir einen Wecker aus. Sinnigerweise einen Reisewecker. Ich testete ihn, indem ich kurz auf dem Verkaufstresen einschlief. Der Wecker klingelte, die Verkäuferin schrie: «Der Wecker klingelt!», davon wachte ich auf. Super. In der U-Bahn würden die anderen Fahrgäste bestimmt auch schreien, wenn der Wecker klingelte.

Auf dem Weg zur Station kam mir eine Idee. Ich ging zu einer Telefonzelle und rief den Dieb bei mir zu Hause an:

– Ja.

– Hallo. Hier ist Horst Evers. Was machen Sie in meiner Wohnung?

– Ah, Sie sind dit. Gut, dasse anrufen. Mann, die Wohnung sieht ja vielleicht aus! Mein lieber Herr Gesangsverein. Da blickt ja kein Mensch durch. Wolln Se die nich mal aufräumen?

– Im Prinzip schon, aber wissen Sie, ich bin dermaßen viel unterwegs, und außerdem war ich gar nicht auf Überfall eingerichtet.

– Jaja, dit sagen Se alle. Sagen Sie, is in diesem ganzen Chaos überhaupt irjendwat von Wert?

– Nich dass ich wüsste, aber wenn Se was finden, ich wär bereit zu teilen.

– Na schönen Dank auch, da suchen Se man schön alleene, ick muss weiter!

– Nein. Das ist mein einziger Schlüssel. Ich komm sonst nicht in die Wohnung. Wenn alles glatt geht, bin ich inner Dreiviertelstunde da. Setzen Se schon mal 'nen Kaffee auf, ich bring Brötchen mit, ich lad Sie zum Frühstück ein.

– Na meinetwegen. Dann is der Weg hierhin wenigstens nich janz umsonst jewesen, wa?

Ich ging zur U-Bahn, kaufte noch einen Fahrschein, diesmal gleich 'ne Tageskarte, man weiß ja nie, zählte die Stationen ab, stellte den Wecker, stieg am Halleschen Tor erfolgreich in die Linie 1 um und gelangte problemlos und gut gelaunt zum Schlesischen Tor. Ein schönes Gefühl, von einer langen Reise nach Hause zu kommen, wenn man erwartet wird. Sogar den

Wecker konnte ich am Schlesischen Tor noch einem jungen Mann aus Schöneberg verkaufen, der bereits seit mehreren Stunden auf der Ost-West-Trasse zwischen Krumme Lanke und Warschauer Straße hin- und herfuhr.

Gute Geschäfte

Donnerstagmorgen, ich habe furchtbare Rückenschmerzen, aber wenigstens weiß ich, warum. Weil mir ein Mann in den Rücken getreten hat, und ich habe ihn auch noch darum gebeten, und das kam so:

In Berlin gibt es ca. 60 bis 70 richtig große Kaufhäuser. Diese 60 bis 70 richtig großen Kaufhäuser verkaufen praktisch alle dasselbe, nämlich so ziemlich alles, was es überhaupt so gibt.

Wenn jetzt aber das 71. richtig große Kaufhaus eröffnet und auch nochmal dasselbe wie alle anderen verkauft, nämlich praktisch alles, rennen trotzdem so ziemlich alle Berliner dahin, und der gesamte Verkehr bricht zusammen. Nur damit sich dann alle Berliner in diesem Kaufhaus treffen und so Sachen sagen wie: «Mensch, Mensch, Mensch, hammse aber schön gemacht das Kaufhaus, so was fehlte hier auch noch, nee, hammse schön gemacht, und die haben ja auch wirklich alles, aber alles, nur voll ist das, meine Herren, das is ja nich mehr schön, da gehn wir aber nich nochmal hin, so voll, wie das da is, neeneenee.»

Warum diese Berliner trotzdem zu jeder Neueröffnung wieder hinrennen, das werde ich nie verstehen. Aber, was ich erst recht nicht verstehe, ist, warum ich da auch jedes Mal hinfahre.

Spreche einen Verkäufer an.

– Hee, Sie, Sie, gehörn Sie hier zum Laden?

– Sag ich nicht.

– Warum nicht?

– Weil Se ja doch nix kaufen. Am Eröffnungstag kaufen die Leute sowieso nix. Die wolln doch eh nur gaffen.

– Also gehörn Sie jetzt zum Laden?

– Hab ich doch schon gesagt, sag ich nicht.

– Ich brauche einen Anzug, wollen Sie mich nicht beraten?

– Ehrlich gesagt, nee.

– Aber ich brauche Beratung.

– Stimmt, das seh ich auch.

– Also?

– Hörn Sie, ich weiß doch, wie das läuft, Sie probiern 20 Anzüge an, sagen, Sie müssen sich's nochmal überlegen, und ich seh Sie nie wieder.

– Ach so, wusste gar nicht, dass Sie mich kennen, aber diesmal brauch ich wirklich einen Anzug. Ich werd mich auch schnell entscheiden.

– Gut, dann nehmen Sie den hier.

– Sollt ich den nicht noch anprobieren?

– Ach, der passt schon.

– Ich weiß nicht, vielleicht, ich geh doch mal grad in die Kabine …

– Unterstehn Sie sich, Sie bleiben hier und kaufen …

– Bin gleich wieder da.

Fünf Stunden später –

– Und außer diesen 67 Modellen haben Sie wirklich nichts anderes mehr in meiner Größe?

– Nein, ganz sicher nicht.

– Vielleicht sollte ich den Ersten nochmal anprobieren.

– Wir schließen gleich.

– Hm, dann komm ich vielleicht besser morgen nochmal wieder. Am besten ganz früh, dann haben wir auch mehr Zeit.

– Nein. Sie kaufen jetzt diesen Anzug, und damit basta.

– Hören Sie, 300 Mark, das kann ich nicht so hopplahopp entscheiden, das ist viel Geld …

– Der Anzug ist runtergesetzt.

– Seit wann?

– Seit jetzt.

– Warum?

Der Verkäufer wirft den Anzug zu Boden.

– Is runtergefallen. Kostet jetzt nur noch 200 Mark.

– Na ja, 200 Mark sind 200 Mark.

– Wenn ich versehentlich drauftreten würde, wird er noch billiger.

– Aha. Was müsste denn passiern, damit ich den Anzug, na, sagen wir mal, für 10 Mark bekommen würde?

– Na ja, wenn ich versehentlich drauftreten würde, während ein Kunde drinsteckt, dann bekäme der Kunde den Anzug umsonst. Jaa.

Und weil man so ein Angebot nicht jeden Tag bekommt, deshalb habe ich heute Rückenschmerzen, war trotzdem ein fairer Deal.

In Vertretung

Donnerstagnacht 2.30 Uhr. Seit fünf Stunden saß ich nun schon mit Martin in der Kneipe. Geredet hatten wir eigentlich nicht viel, außer vielleicht: «Und? Trinkst noch einen mit?», oder: «Mensch, nu is das auch schon wieder halb zwei, Mann du, hier is was los.» Ansonsten tranken wir Bier und schwiegen. Es war ein richtig schöner Abend. Ein Männerabend. Ein Idyll. So schön stell ich mir das auch in Skandinavien vor. Doch plötzlich zerstörte Martin diese Idylle. Er sagte den schlimmen Satz. Den Satz, der jede vor allem auf gemeinsamem Schweigen begründete Männerfreundschaft zerstören kann. Er sagte:

– Horst, ich hab ein Problem.

Ich dachte das, was jeder echte Freund in so einer Situation denken würde. Ich dachte: Horst, du hast jetzt genau zwei Möglichkeiten. Möglichkeit A: Du sagst, du müsstest auf Toilette und versuchst durchs offene Klofenster zu entkommen, Möglichkeit B: Du tust so, als wärst du völlig betrunken und kriegst nichts mehr mit. Wider besseren Wissens jedoch blieb ich sitzen und versuchte so gefasst wie möglich zu fragen:

– Geht's um eine Frau?

– Worum denn sonst, meine Mutter kommt zu Besuch.

– Ah ja. Martin, merk dir, was du sagen wolltest, ich muss nur eben auf Toilette, ich nehm mal lieber meine Jacke mit, das zieht da immer so durchs offene Klofenster.

– Vergiss es, ich hab vorhin deinen Wohnungsschlüssel aus deiner Manteltasche genommen, du kommst hier erst raus, wenn du mir zugehört hast. Weißt du, meine Mutter ist ganz anders als ich.

– Du meinst, sie ist dynamisch, lebenslustig und sieht für ihr Alter noch verdammt gut aus?

– So in etwa. Ich möchte auf ihren Besuch vorbereitet sein, und deshalb bitte ich dich, mich dafür zu trainieren. Ich möchte, dass du so tust, als wärst du meine Mutter und würdest mich besuchen, für 24 Stunden.

– Muss ich mich dazu verkleiden?

– Nein.

– O.k., is geritzt, wann soll ich ankommen?

– Dienstagmorgen.

Dienstagmorgen, Punkt 10.00 Uhr, stehe ich vor Martins Haustür. Er öffnet. Ich strahle ihn an.

– Martin, mein Schatz, da bin ich!

– Hallo.

– Na, was ist das denn für 'ne Begrüßung? Freust du dich denn gar nicht, mich zu sehen?

– Doch, doch.

– Hättest deine alte Mutter auch ruhig mal vom Bahnhof abholen können. Na, hab ich mir eben ein Taxi genommen. Der Fahrer steht unten und wartet, dass du ihm sein Geld bringst.

– Hast du ihn nicht bezahlt?

– Nein, ich hab meinen Geldbeutel zu Hause liegen lassen. Wenn du Weihnachten kommst, gibt Papa dir das wieder. Zahl du jetzt erst mal den Fahrer, ich guck mich hier so lange um.

Während Martin den Fahrer bezahlte, inspizierte ich die Wohnung. Als Erstes schaute ich in den Kühlschrank, der Junge isst nicht richtig, sieht auch nicht gut aus, zu den Fenstern, die muss er mehr putzen, zu wenig Licht macht depressiv, und unters Bett, diese Staubknäuel sind ganz gefährlich, die dünsten nachts Bakterien aus und ziehen dann so irgendwie in den Organismus, ganz gefährlich. Ich notierte mir all diese Punkte, um sie Martin den Tag über so nach und nach mitzuteilen. Natürlich immer angefangen mit meiner Lieblingseinleitung für diesen Tag: «Ich weiß, es geht mich nichts an, und ich will mich auch nicht einmischen, aber …» Ich war mir sicher, Martin würde diesen Satz im Laufe des Tages noch richtig schätzen lernen. Als er wiederkam, hatte ich bereits den Staubsauger in der Hand. Ich bemühte mich, ihn möglichst anklagend zu halten.

– Na, das wurde ja wohl höchste Zeit, dass ich dich mal besuche, was? Ich denke, wir zwei machen hier jetzt erst mal richtig sauber, und dann kaufen wir dir was Vernünftiges zum Essen.

– Ich hab die ganze Woche geputzt, Hunger hab ich auch keinen. Und seit wann kostet eigentlich ein Taxi von Kreuzberg nach Neukölln 50 Mark?

– Du Dummerchen, ich komm doch eigentlich vom Bahnhof Zoo, und außerdem dacht ich mir, wo ich schon mal in der Stadt bin, guck ich mir doch gleich noch den Potsdamer Platz an, wie der sich so verändert. Mensch, die bauen da ja ganz schön, ihr seid ja ordentlich fleißig hier in Berlin, obwohl, du ja nicht, du hast da ja wahrscheinlich gar nix mit zu tun. Wo ist denn deine Freundin?

– Äh, die ist für ein paar Tage weggefahren.

– Ach, allein? Ohne dich? Na ja, musst du ja wissen. Ich meine, mich geht's ja eigentlich nix an, und ich will mich ja auch nicht einmischen, aber … dass die so ohne dich wegfährt? Is das überhaupt noch dieselbe?

– Doch, doch.

Ich konnte nicht umhin festzustellen, dass ich meine Sache als Mutter verdammt gut machte. Martin war schon wieder genau der kleine Junge, als den ich ihn nie kennen gelernt hatte. Aber jetzt sollte ich ihn vielleicht ein wenig aufmuntern.

– Lass dich von mir nicht störn, leb dein Leben ganz genau so, als wenn ich nicht gerade da wäre, das ist es ja auch, was ich gerne sehen möchte, wie du so lebst. Was machen wir denn heut Nachmittag?

– Na, ich weiß nicht, wozu hast du denn Lust?

– Mir is ganz gleich, was du am liebsten möchtest.

– Zoo oder Museum vielleicht?

– Was du am liebsten möchtest.

– Oder Kino/Park/Einkaufen/Spaziern …

– Sag du.

– Na denn, gehn wir in den Zoo.

– Ach nö, Zoo, hamm wir auch in Fallingbostel. Lass uns was machen, was du nachmittags immer machst.

– Also gut, gucken wir Fernsehn.

– Was?

– Ich mein, gehn wir Kaffee trinken.

– Genau, gehn wir dahin, wo du immer hingehst, wo dich alle kennen.

– Ja, ich glaub, ich weiß da was.

Ein paar Stunden später saßen wir gemeinsam im Café Kranzler. Entweder hatte mir Martin bislang einen Teil seines Lebens verschwiegen, oder er belügt seine Mutter. Beides konnte mir nicht gefallen.

– So, und hier bist du also immer nachmittags?

– Ja, so in etwa.

– Na, ich weiß ja nicht, wie heißt denn der Kellner?

– Horst, bitte!

– Martin, nenn deine Mutter nicht Horst, du weißt, Sie mag das nicht.

– Du bist gar nicht meine Mutter!

Hoppla, dachte ich, jetzt Martin, jetzt hast du aber einen Fehler gemacht. Ich presste meine Faust in meine Seite, damit mir die Tränen hochstiegen, um sie dann mühsam wieder unterdrücken zu können.

– Was bin ich nicht? 12 Stunden hab ich im Kreißsaal gelegen, weil du zu blöd warst, dich vernünftig zu positionieren, 12 Stunden voller Schmerz und Pein, und jetzt sagst du, ich bin nicht deine Mutter.

Nun brach ich strategisch klug in Tränen aus, fingerte nach einem Taschentuch und wischte sehr geschickt dabei meine Kaffeetasse vom Tisch. Damit war schon mal gewährleistet, dass alle anderen Gäste im Lokal nur noch auf uns schauten. Martin wurde so rot, dass die vorbeifahrenden Autos auf dem Kudamm scharf bremsten.

– Horst, bitte.

– Wie heiß ich?

– Mutter, ich meine Mutter, es tut mir leid.

– Das meinst du nicht ehrlich.

– Doch, das mein ich total ehrlich.

– Gut, dann steh jetzt auf und sag all den Leuten hier laut und deutlich: Das ist meine geliebte Mutter!

– Nein, bitte!

– Das ist meine geliebte Mutter!

– Gibt's denn keinen anderen Weg.

– Nein, nein, nein, du tust gefälligst, was deine Mutter dir sagt.

– Horst, das Spiel ist beendet.

– Nein, ich will dich erst noch enterben!

– Das Spiel ist aus!

– Na gut!

Obwohl ich meine Sache verdammt gut gemacht hatte, schien Martin irgendwie unglücklich. Noch einmal versuchte ich ihn aufzuheitern.

– Weißt du Martin, mein Sohn, ich hab's doch nur für dich getan. Du bist jetzt perfekt vorbereitet, schlimmer als ich kann deine andere Mutter niemals sein. Und wenn sie jetzt kommt, wirst du sie mit mir vergleichen, und du wirst sie mehr lieben als jemals zuvor.

Und als ich dies sagte, da lächelte Martin. Und ich lächelte zurück, sodass ich gerade noch im Augenwinkel erkennen konnte, wie seine Faust in ungeheurer Geschwindigkeit auf mein Gesicht zueilte.

Als ich Stunden später wieder zu mir kam, da musste ich denken, was wir Eltern leider wohl alle irgendwann von unseren Kindern denken müssen: Von mir hat er das jedenfalls nicht.

Im Baumarkt

– Hee Sie, hallo, wo kommt denn hier das Sägeblatt in die Stichsäge?

– Können Sie mit 'ner Stichsäge umgehen?

– Aber hallo, klar. Ich bin auf 'nem Bauernhof groß geworden, da war immer zu tun, ich bin nicht so ein unwissender, handwerklich ungeschickter Stadtmensch, wie Sie vielleicht denken, so ein dummer Student vielleicht, was? Ich sag Ihnen was, ich hab mein Studium abgebrochen und bin zur Post gegangen, was sagen Sie nun. Ob ich mit 'ner Stichsäge umgehen kann, man munkelt, ich hätte die Stichsäge erfunden, Horst, die Stichsäge, Evers hat man mich genannt. Also, wo kommt denn jetzt dieses Sägeblatt rein.

– In den Schwingschleifer kommt normalerweise gar kein Sägeblatt. Und, ich gebe zu, ich dachte im ersten Moment, Sie seien handwerklich ungeschickt, aber ich hab Sie von Anfang an für einen Postler gehalten.

Das neue Berlin

Donnerstagmorgen. Ich habe Besuch aus Westdeutschland. Er bittet mich, ihm die Stadt zu zeigen. Na toll. Ich bin gastfreundlich, wie es sich gehört, zeige auf das Fenster und sage ihm, er darf sich da ruhig, solange wie er will, die Stadt in Ruhe angucken. Er findet den Hinterhof mit den sechs Mülltonnen in unterschiedlichsten Farben erstaunlich schnell langweilig und will noch mehr von der Stadt sehen. Ich weise auf das äußerst miese Wetter draußen hin, bleibe aber trotzdem gastfreundlich und schlage vor, ihm anhand eines Stadtplanes alles liebevoll zu beschreiben.

Doch der Nimmersatt ist immer noch nicht zufrieden, er will die Sehenswürdigkeiten richtig sehen. Ein Konflikt bahnt sich an. Und Thomas spielt jetzt seinen höchsten Trumpf.

«Also gut, bleiben wir halt drei Tage hier in der Küche und unterhalten uns.»

Ah, dieser Schweinehund. Man muss dazu wissen, Thomas, mein Besuch, ist kein sonderlich guter Geschichtenerzähler. Gespräche mit ihm laufen meist wie folgt ab:

– Mensch Horst, haste schon gehört, die Geschichte von Markus, dem se in Spanien den Wagen aufgebrochen haben?

– Nee Mensch, erzähl mal.

– Ja, äh, also dem Markus, dem haben se den Wagen aufgebrochen. In Spanien.

Dann ist das Gespräch in der Regel auch schon wieder beendet. Ich entschließe mich für einen Kompromiss, die kleine Stadtführung, und nehme ihn mit zum Brötchenholen. Damit er sich gleich ein bisschen in Berlin einleben kann, überlasse ich ihm in der Bäckerei das Geschäftliche. Er verlangt Brötchen. Ich freue mich schon auf die fällige: «Brötchen hamm wir nich, wenn Se wat wolln, könnse Schrippen haben!»-Arie der Bäckersfrau, als das Unfassbare geschieht. Sie lächelt nur, gibt ihm freundlich die Brötchen und sogar noch anstandslos auf einen 50-Mark-Schein raus. Ich bin enttäuscht und entsetzt. «Aber gute Frau, hamm Se nich gehört, er hat Brötchen gesagt, Brötchen, wär denn jetzt nich die traditionelle Berliner Schrippenpredigt fällig?»

– Jaja, ich weiß, aber die Zeiten ändern sich.

– Wie, die Zeiten ändern sich? Der junge Mann macht extra die lange Reise von Westdeutschland nach Berlin, um ein bisschen über die Berliner Lebensart zu erfahren, und Sie verweigern ihm die traditionelle Schrippenpredigt? Also für mich ist das Betrug am Touristen.

Sie lächelt weiter freundlich, aber das bringt mich nur noch mehr in Rage.

– Sie können doch hier nicht einfach freundlich sein, wie es Ihnen passt. Ich fürchte, ich muss bei der Berliner Bäckerinnung über diesen Vorfall Meldung erstatten!!!

Thomas wird die Sache unangenehm, und er zerrt mich aus dem Laden. Auf dem Bürgersteig denke ich wehmütig an meine erste Schrippenpredigt zurück, damals im Wedding. Frau Schmah aus meinem Haus hatte seinerzeit im ganzen Viertel gestreut, dass der Neue heute zum ersten Mal Schrippen holen geht. In der ganzen Bäckerei bis weit auf die Straße raus standen sie und lauschten der furiosen Schrippenpredigt meiner Weddinger Bäckersfrau. Wie ein geprügelter Hund schlich ich damals, gefaltet, geknickt, eingetütet und versandbereit unter dem tosenden Beifall der gesamten Nachbarschaft aus der Bäckerei. Ja, das warn noch Zeiten. Die goldenen Achtziger, wo sind sie hin? Im Moment haben die ja ihr Revival, aber ich habe manchmal das Gefühl, es kommen nur die Sachen wieder, die besser in Vergessenheit geraten wären: Modern Talking, Schulterpolster und Walter Momper ...

Dafür geht eine über Jahrzehnte gewachsene Frontstadtkultur langsam, aber sicher den Bach runter. Verkäufer, Kellner, Sprechstundenhilfen, alle sind auf einmal nett und umgänglich.

Und sogar die BVG, von der man immer dachte, sie wird das ewige Bollwerk gegen zu viel Freundlichkeit in der Stadt bleiben, hat sich mit einem raffinierten Trick aus der Verantwortung gestohlen. Sie ersetzt ihr Bahnhofspersonal durch freundliche Automaten.

Natürlich könnte man sagen, ein bisschen mehr Freundlichkeit schadet Berlin nix. Aber was ist mit der soziokulturellen Identität des Berliners? Was wird aus der Weltstadt mit Herz und Schnauze, wenn die Schnauze wegfällt? Eine Weltstadt mit Herz? Wird Berlin wie München? Das kann doch keiner wollen.

Nehmen wir nur mal den Potsdamer Platz. Vor kurzer Zeit noch war das die größte Baustelle Europas. Das war doch was, das hat Eindruck gemacht inner Welt. Man hätte das so lassen sollen. Denn jetzt, wo es praktisch fertig ist, was ist rausgekommen. Die Arkaden, ein überdachtes Einkaufsparadies, wie es auch in jeder zweiten westdeutschen Kleinstadt genauso steht. Was ist denn das? Da steckt doch Methode hinter. Das ist doch alles von langer Hand lanciert.

Meine Theorie: Die Bonner Beamten haben sich aus Angst vor Heimweh einfach im Zentrum Berlins ihr Bonn 1:1 maßstabsgetreu nachgebaut. Der Potsdamer Platz ist der Beweis.

Thomas ist immer noch völlig gestresst von der Situation in der Bäckerei: «Mann, weißt, was ich dachte, als du da gerade mit der Bäckersfrau Streit angefangen hast?»

– Nee, was denn?

– Na, ich dachte, Mann, jetzt fängt der da mit der Bäckersfrau Streit an.

Meine Schuld, was frag ich auch nach.

Traurig schleppe ich mich mit Thomas zu einer Bushaltestelle, um ihm jetzt doch das Berliner Bonn mal zu zeigen. Im Dauerregen warten wir auf den 265er. Der 265er kommt nich. Als der 129er kommt, fragen wir den Fahrer, was mit dem 265er is.

– Watn? Der 265er kommt nich?

– Nee, kommt nich.

– Na denn müssen Se ja wohl zu Fuß laufen, wa? Jungejungejunge, hamm Se sich aber 'nen schönet Wetter für ausjesucht. Na denn, viel Spaß noch, wa?

Dann schließt er die Tür und fährt ab. Glückselig schaue ich ihm nach. Die BVG-Busfahrer, die kann man nicht so schnell durch Automaten ersetzen. Gut, dass es sie gibt. Vielleicht schon bald die letzte Bastion, die die traditionelle Berliner Lebensart noch bewahrt und pflegt.

Freitag

Erfolg

Das große Spiel

Freitagnachmittag. Seit Raumschiff Voyager nicht mehr kommt, habe ich nachmittags immer ziemlich viel Freizeit. Im Moment mache ich grade mit einem neu angefangenen Stift Striche auf einen Zettel, um einmal genau zu sehen, wie viel Striche man machen kann, bis so ein Stift völlig leer ist. Wenn ich das mal genau weiß, kann ich nämlich eine viel genauere Finanzplanung fürs Jahr machen, und auch all meine Freunde wird das bestimmt brennend interessieren. Das gibt Gesprächsstoff für mindestens eine Woche, und ich werd ein bisschen ein Held der Wissenschaft sein.

Ich mache gerade den 17239sten Strich, als sich plötzlich meine innere Stimme mit einer schrecklichen Vermutung meldet:

«Sag mal, Horst, kann das sein, dass du grad wieder deine Zeit verplemperst?»

– Och. Ja. Na und? Is doch meine Zeit.

– Horst, wenn du schon mal einen ganzen Nachmittag frei hast, solltest du dann nicht etwas Besonderes machen? Etwas Außergewöhnliches, etwas Aufsehenerregendes, etwas, wovon man noch lange reden wird, was dein Leben verändert, etwas, was du noch nie gemacht hast! Etwas wie Fensterputzen zum Beispiel.

– Hm, klingt nicht schlecht, Fensterputzen. Aber ist das nicht gleich 'nen bisschen hoch eingestiegen. Sollt ich nich erst mal

mit was Leichterem anfangen wie meine Schuhe von der Raum-
mitte an den Zimmerrand räumen? Das wär doch auch schon
ganz schön was aus diesem ganzen Aufräumspektrum, ne.

– Nein, Horst, versuch den großen Wurf, Fensterputzen, das
wird dich unsterblich machen, so wie Kolumbus Richtung In-
dien segelte, statt die Meerenge von Gibraltar zu entdecken.

– Toll, innere Stimme, jetzt hab ich mich verzählt. Jetzt kann
ich einen neuen Stift nehmen und wieder ganz von vorne anfangen.

Aber auf einmal hatte ich keine Lust mehr auf Striche zählen.
Irgendwo hatte meine innere Stimme schon Recht. Na gut. Ich
würde ihr eine faire Chance geben. Ich entschied mich für eine
gerechte sportliche Lösung. Ich setzte mich aufs Sofa, und in
meinem Kopf begann das große Spiel. Das Spiel meiner gegen-
sätzlichen Gedanken um den großen «Was macht Horst mit
seinem Tag-Pokal!» Wir schalten ins Kleinhirnstadion:

– Guten Tag, liebe Zuschauerinnen und Zuschauer, ich begrüße
Sie hier im mit 2,5 Milliarden Hirnzellen restlos ausverkauften
Kleinhirnstadion von Everskopp zum mit Spannung erwarteten
großen Endspiel um den begehrten «Was macht Horst mit seinem Tag-Pokal». Hier kommen die beiden Mannschaften. Da ist
zum einen der Herausforderer, das junge, aufstrebende, grad erst
wieder spektakulär verstärkte Team vom «1. FC Horst, jetzt reiß
dich aber mal zusammen». Nicht wenige Experten halten das junge, stark motivierte Team von Trainer «Mal vorankommen jetze»
endlich reif für den ersten großen Titel. Aber auf der anderen
Seite steht kein Geringerer als der Titelverteidiger, der Favorit, der
seit Jahren ungeschlagene «VFL Boarh, bin ich kaputt». In den
letzten Jahren hat die Mannschaft von Trainer «Morgen is auch
noch 'n Tag» so ziemlich alles gewonnen, was es in Everskopp zu
gewinnen gab. Hat das ehrgeizige Team des «1. FC Horst, jetzt
reiß dich aber mal zusammen» überhaupt eine Chance gegen diese routinierte, mit allen Wassern gewaschene Startruppe?!

Über 600 Sendestationen aus allen Körperregionen übertragen diese Begegnung in die verschiedenen Körperteile. Ich bin sicher, in der Leber, in der Milz, im Zwölffingerdarm und überall sonst sitzt man jetzt vor den Fernsehgeräten und ist genauso gespannt wie hier im Kleinhirnstadion von Everskopp. Besonders freue ich mich, erstmals auch die Zuschauer aus den Kniescheiben und von den Ohrläppchen begrüßen zu können. Gemeinsam hören wir jetzt die Hymnen der beiden Mannschaften. Für den «1. FC Horst, jetzt reiß dich aber mal zusammen»: «Bau auf, bau auf, bau auf, freie deutsche Jugend bau auf …» und den «VFL Boarh, bin ich kaputt»: «Es gibt kein Bier auf Hawaii, es gibt kein Bier …» Dann tauschen die beiden Mannschaftskapitäne «Dem Tüchtigen gehört die Welt» und «In der Ruhe liegt die Kraft» die Wimpel aus. Das heißt, sie versuchen es, denn der Kapitän des «VFL Boarh, bin ich kaputt» hat seinen Wimpel offensichtlich verschlampt. Und nach einer kurzen Schweigeminute für den kürzlich aus dem Körperverbund ausgeschiedenen Appendix sowie für die unzähligen Opfer der letzten Haarausfallkatastrophe gibt der Schiedsrichter «Wie man's macht, macht man's verkehrt» das Spiel frei.

Und der «1. FC Reiß dich mal zusammen» legt gleich mächtig los. Mit einem langen Pass schickt Mittelfeldregisseur «Der frühe Vogel fängt den Wurm» seinen starken Rechtsaußen «Leistung muss sich wieder lohnen» auf die Reise. Der tanzt die Verteidiger «Zu nix richtig Lust» und «Am liebsten zurück ins Bett» aus, aber dann wird «Leistung muss sich wieder lohnen» jäh vom versierten Libero der Kaputten «Wenn ich so 'n Scheiß schon höre!» gestoppt. Jetzt sind die Kaputten im Vorwärtsgang: «Wenn ich so 'n Scheiß schon höre» auf «Heut is nich mein Tag», «Heut is nich mein Tag» weiter auf «Gestern auch nicht», «Gestern auch nicht» zu «Morgenstund ist ungesund», vorbei an «Lass mal den Abwasch machen» quer zu «Ich komm doch über die Runden». «Ich komm doch über die Runden» schießt und …! Aber geschmeidig wie eine Raubkatze taucht da «Denk auch mal an deine Altersvorsorge», der sichere Schlussmann der Zusammenreißer, in die untere rechte Ecke und hält den Ball fest. Ja, nach diesem furiosen Auftakt plätschert das Spiel nun doch mehr und mehr vor sich hin, auch weil der gefährlichste Stürmer der Kaputten «Hee, lass mal 'n Bier trinken gehen» von gleich beiden Innenverteidigern der Zusammenreißer «Dann kommste morgen wieder nicht aus dem Bett» und «Keine Macht den Drogen» in scharfe Manndeckung genommen wird, und auch sein Pendant auf der Gegenseite «Is doch ganz schön, wenn's mal 'n bisschen sauber ist» gegen «Ich find's so gemütlich» keinen Stich macht. Mit 0:0 geht's in die Pause. Schauen wir mal in die anderen Körperteile, wie man dort bislang das Spiel verfolgt hat. Wir schalten zu Harry Humpen in der Leber. Harry Humpen, wie ist die Stimmung in der Leber?

– Ja, die Stimmung in der Leber ist verhalten. Die Fans sind natürlich enttäuscht, dass sich «Hee, lass mal 'n Bier trinken gehen» bislang noch nicht richtig in Szene setzen konnte, aber vielleicht kommt das ja noch.

Danke Harry Humpen, weiter zu Niko Tien in der Lunge.

– Ööähh, die Stimmung in der Lunge ist aufgeheizt. In der verqualmten, stickigen Luft hier erhebt sich jedes Mal ein Pfeifkonzert, wenn «Keine Macht den Drogen» nur an den Ball kommt. Hier in der Lunge hat er definitiv nicht viele Freunde.

Danke Niko Tien. Hier beginnt die zweite Halbzeit. Gibt es Veränderungen in den Mannschaften? «Oh ja.» «Mal vorankommen, jetze», der Trainer der Zusammenreißer, bringt jetzt seinen neuen Superstar. Für den angeschlagenen «Lass mal Fenster putzen» kommt der neu eingekaufte Wunderstürmer «Frauen mögen erfolgreiche Männer». Ein Raunen geht hier durch die rund 2,5 Milliarden Gehirnzellen auf den Rängen. Und auch bei den Kaputten macht sich Unruhe breit, vor diesem Gedanken, diesem Spieler hatten sie Angst. Der könnte durchaus das Spiel zugunsten der Zusammenreißer entscheiden. Die zweite Halbzeit beginnt, und gleich stürmt «Frauen mögen erfolgreiche Männer» auf das Tor der Kaputten zu. Wie nix spielt er die gesamte Abwehr der Kaputten aus. Schuss und … knapp vorbei. Ei, da fehlte nich viel. «Morgen ist auch noch 'n Tag», der Trainer der Kaputten, muss sich dringend was einfallen lassen, und da reagiert er auch schon. Ja, er bringt «Aber erfolglose Männer haben dafür mehr Zeit». Hat es der alte Trainerfuchs doch wieder geschafft!

Die reguläre Spielzeit ist vorbei, immer noch 0:0, jetzt entscheidet das Golden Goal, und Tooooor!!! Tor! Tor! Tor! Mit einem Gewaltschuss, direkt vom Anstoßpunkt weg, erzielt «Hee, lass mal 'n Bier trinken gehen» das spielentscheidende 1:0. Ein Glücksschuss gewiss, aber er sichert den Kaputten erneut den Titel. 2,5 Millionen Hirnzellen hier im Stadion singen die Hymne der Kaputten: «Es gibt kein Bier auf Hawaii», der Evers'sche Körper setzt sich in Bewegung Richtung Kneipe, auch in der Leber ist der Jubel natürlich riesengroß. Die Kaputten haben es wieder geschafft. Es sieht aus, als sei der «VFL Boarh, bin ich kaputt» hier in Everskopp einfach nicht zu schlagen.

– Ende der Übertragung –

Clever reisen

«Also, die Bahn!!! Für mich sind das alles Verbrecher! Alle, wie
sie da sind! Alle! Von wegen Bahn-Card, halber Preis, das ist
doch nur eine raffinierte Werbelüge, um davon abzulenken,
dass in Wirklichkeit alle, die keine Bahn-Card haben, eigentlich den doppelten Preis bezahlen! Aber nicht mit mir. Ich weiß
mich zu wehren!»

Frederic war in seinem Element. Sein Element und liebstes Ge-
sprächsthema war wie immer: Wie der clevere Frederic den fiesen Geschäftemachern und Halsabschneidern allüberall durch
seine überragende Intelligenz immer wieder ein Schnippchen
schlägt.

«Wenn ich beispielsweise von Berlin nach Hannover muss, kaufe
ich immer nur eine Karte bis Wolfsburg und schlafe dann im
Zug überraschend unmittelbar vor Wolfsburg ein. Wenn dann
hinter Wolfsburg der Schaffner durch unser Abteil geht, schre-
cke ich auf und schreie: «Oje, oje, in Wolfsburg, da musste ich
doch raus. Oje, oje.» Der Schaffner tröstet mich, sagt, ich soll
einfach von Hannover aus zurückfahren, drückt ein Auge zu, ich
fahre von Wolfsburg bis Hannover umsonst und hab ganz schön
Geld gespart. Paar Mark zwar nur, aber das läppert sich.»

Interessanter Plan. In zwei Tagen musste auch ich nach Hannover. Frederics Bahnplan schien erprobt, was sollte da schon

schief gehn. Und so cool und ausgefuchst wie Frederic war ich ja wohl schon lange. Am nächsten Tag kaufte ich mir eine Fahrkarte nach Wolfsburg.

Die ganze Nacht vor meiner Abfahrt tat ich kein Auge zu. Viel zu aufgeregt war ich aufgrund meines unmittelbar bevorstehenden großen Coups. In der U-Bahn auf dem Weg zum Bahnhof bewahrte ich mein Pokerface. Niemand in meinem Waggon hatte auch nur die geringste Ahnung, mit welch brillant kriminellem Genie sie da U-Bahn fuhren.

Lässig bestig ich am Bahnhof Zoo den Zug und überreichte dem Schaffner meinen Fahrschein.

– Sie fahren bis Wolfsburg?

– Ganz genau.

– Das ist ja prima. Hee, komm mal her.

Er winkte einen kleinen Jungen heran.

– Das Kind reist allein und muss auch nach Wolfsburg. Hier, Junge, der nette Mann kümmert sich bestimmt um dich und passt auf, dass du in Wolfsburg mit ihm aussteigst.

Mein wasserdichter Plan bekam plötzlich undichte Stellen. Der Schaffner war zufrieden und zog von dannen. Das Kind begann zu plappern:

– Ich heiße Torben, und du?

– Sag ich nicht. Aber wenn du willst, kannst du mich ruhig: Der große, dumme Mann nennen.

– Okay. Meine Eltern holen mich am Bahnhof ab. Was machst du in Wolfsburg?

– Auf den Zug nach Hannover warten.

– Aber dieser Zug fährt doch auch nach Hannover!

– Ich weiß.

– Bist du traurig.

– Geht so.

– Na, da ist es ja gut, dass der Schaffner mich zu dir gebracht hat. Da kann ich dich ja vielleicht ein bisschen aufheitern.

– Ich bin schon lustig genug … Hör zu, ich sag dir kurz vor Wolfsburg Bescheid, damit du da aussteigst; und du lässt mich hier im Zug schlafen. Okay?

– Aber dann verpasst du Wolfsburg.

– Ich glaube nicht, dass ich da was verpasse.

– Aber der Schaffner hat gesagt, du steigst mit mir in Wolfsburg aus und passt auf mich auf.

– Das ist mir egal.

– Gut, dann geh ich zum Schaffner und …

– Du gehst nicht zum Schaffner!

– Nur wenn du mit mir aussteigst.

– Na gut, wir werden ja sehen, wer sich durchsetzt.

Als wir in Wolfsburg aussteigen, sind keine Eltern am Bahnhof.

– Und? Wo sind jetzt deine Rabeneltern?

– Ich weiß nicht, vielleicht warten sie am Bahnhof in Gifhorn.

– Gifhorn?

– Da wohnen wir. Bringst du mich dahin?

– Den Teufel werd ich tun. Ich bring dich jetzt zur Bahnhofsaufsicht, da kannst du ein paar Stunden bleiben, und wenn sich deine Eltern dann immer noch nicht gemeldet haben, kommst du in ein schönes Heim, wo du mit vielen anderen spielen kannst.

Der Kleine fängt an zu weinen. Die anderen Passanten bleiben stehen und beobachten uns.

– Immer sagst du, ich soll ins Heim, Papa.

– Nenn mich nicht Papa.

– Doch, Papa. Dabei bin ich dir nur nachgefahren, damit du nicht wieder alles Geld vertrinkst und Mama die ganze Nacht weint.

Die Passanten bilden einen Kreis um uns.

– Hör jetzt auf.

– Nein, bitte hau mich nicht!

Die Menschenmenge wird zu einer Zusammenrottung und beginnt, tieftonig zu grummeln. Obwohl ich mich nicht wie der Klügere fühle, gebe ich nach, drücke Torben, so fest ich nur kann, an mich und beginne zu weinen. Dazu brauch ich mich nicht mal zu verstellen.

Auch unser Regionalzug fährt über Gifhorn nach Hannover. Na immerhin. Unser Zug hat nur 25 Minuten Verspätung, sodass wir gerade mal eine Stunde warten müssen. Das ist Glück.

Der Regionalzugschaffner ist für einen Norddeutschen überraschend redselig.

– Soso, von Wolfsburg kommen Sie?

– Na ja, genau genommen von Berlin.

Er grinst.

– Verstehe, kenn ich, solche hamm wir oft. Und kurz vor Wolfsburg konnten Sie einfach nicht einschlafen, was?

So viel zu Frederics brillantem, geheimem Supertrick. Klar, war auch viel Pech bei. Trotzdem bin ich mittlerweile skeptisch, ob ich auch seinen zweiten Supertrick, durch den einmaligen Erwerb einer gebrauchten Wachschutzuniform mit Schäferhundattrappe jahrelang BVG-Gebühren sparen, unbedingt ausprobieren sollte.

Tage der Angst

– Ihr fliegt mit Cross-Air?

– Ja, warum?

– Sind die nicht letzte Woche abgestürzt?

– Nicht alle. Das war nur ein Flugzeug.

– Ja, aber beunruhigt dich das nicht?

– Ach was. Da steh ich drüber. Ich hatte noch nie Angst im Flugzeug.

– Wie oft bist du denn schon geflogen?

– Noch nie. Aber trotzdem. Statistisch gesehn kann gar nichts

passiern. Dass ein und dieselbe Gesellschaft zweimal nacheinander abstürzt, ist praktisch unmöglich. Das ist so unwahrscheinlich wie ein Sechser im Lotto, wie Weihnachten und Ostern an einem Tag, wie eine U-Bahn-Kontrolle, wenn man einen
Fahrschein hat. Wie wenn das alles drei zusammenkommt, so
wahrscheinlich ist das. Praktisch unmöglich.

– Na ja, manchmal passiert's doch.

– Jaja, erzähl du nur, mir machst du keine Angst.

Gern hätte ich bei diesem Satz überzeugend ausgesehen, aber
blöderweise zittert meine Hand so sehr, dass ich mir den heißen
Milchkaffee über die Hand und dann auf die Hose schütte. Ich
will einen Schmerzensschrei ausstoßen, aber dann merke ich,
dass der Schmerz für einen kurzen Moment die Angst verdrängt
hat. Ein angenehmes Gefühl. Ich schütte noch etwas von dem
heißen Kaffee über meine Hand und genieße die kurzen angst-
freien Sekunden. Ich lächle.

Dann frage ich Thomas, ob es okay ist, wenn ich ihm das Geld,
das er mir gerade für die Reise gepumpt hat, im April zurück-
zahle.

Er legt mir eine testamentarische Verfügung vor und winkt die
Kellnerin heran, damit sie meine Unterschrift bezeugen kann.
«Versteh das bitte nicht falsch.» Ich nicke und schütte mir den
restlichen Milchkaffee über die Hand. Das tut gut.

Noch drei Tage bis zum Abflug. Die letzten drei Tage. Ich überlege, was ich noch unbedingt in meinem Leben tun will. Mir fällt
nix ein. Na ja, vielleicht mal richtig ausschlafen. Au ja, das macht
bestimmt Spaß. Lege mich ins Bett und warte ab. Kann nicht
einschlafen. Verdammt. Wenn es etwas gibt, was ich immer sehr
gut konnte, dann war das einschlafen. Manchmal mitten im Satz.
Die Gesprächspartner sind dann zwar manchmal ein wenig irritiert, viele finden das unhöflich. Aber das heißt noch lange nicht,
dass ich deshalb irgendwie ein unhöflicher Klotz wäre, oder so.
Nein, direkt vorm Einschlafen findet in mir immer noch der to-

tale innere Kampf statt: «Mensch Horst, kannste das machen, so mitten im Satz wegdösen, kriegt der andere das nicht womöglich in den falschen Hals, gibt's ja, so Leute, Menschen können so pingelig sein.» So total rücksichtsvolle Gedanken denk ich nämlich noch. Erst dann schlummere ich weg. Und wenn ich dann wieder aufwache, bin ich auch sofort wieder voll da. Weiß über alles Bescheid.

«Aaaah, guten Morgen, warum bist du da? Ach so, ja, wir unterhalten uns gerade. Jaa. Toll. Äh. Dann kriegt ihr also auch bald Nachwuchs. Ja, da gratulier ich doch mal.»

So wacht man doch mitten ins Leben auf und verbringt nicht den ganzen Tag im Bett mit Fragen wie: Wenn ich aufs Zähneputzen verzichte, kann ich noch fünf Minuten länger liegen bleiben. Wenn ich aufs Frühstück verzichte, nochmal sieben. Ach, zwölf Minuten reichen doch mit der BVG von Kreuzberg nach Mitte. Wenn ich aufs Anziehen verzichte, spar ich nochmal drei Minuten. Dann brauch ich auch keine Entschuldigung fürs Zuspätkommen, wenn man nackt zur Verabredung kommt, stellt keiner mehr Fragen übers Zuspätkommen. Was man halt so denkt, wenn man den Wecker ausgeschaltet hat, kurz bevor man nochmal tief und fest einschläft.

Einschlafen kann ich eigentlich immer. Nur jetzt nicht. Gehe zum Spiegel und gucke, ob ich überhaupt müde bin. Ja, ich sehe so müde aus wie immer. Komisch. Hole mir das Telefon ans Bett und sage *alle, sämtliche* Verabredungen für die nächsten Tage ab. Das Einschlafproblem hat jetzt absolute Priorität. Muss vier Anrufe machen, bis ich endlich zumindest eine Verabredung habe, die ich dann absagen kann. Danach liege ich weiter auf dem Bett und starre an die Decke. Nach zwei Tagen kriege ich Hunger.

Rufe meinen Nachbarn an:

– Hallo, hier ist Horst, kannst du für mich den Pizza-Service anrufen?

– Warum machst'n das nicht selbst?

– Ach, weißte, ich nehm doch nur immer Pizza-Salami, is mir langweilig. Such du was für mich aus. Dann hab ich 'ne Überraschung, was, worauf ich mich freuen kann.

Ich lege auf. Immerhin lenkt der Hunger von der Angst ab. Werde spürbar ruhiger. Zu Recht, so dermaßen unwahrscheinlich wie ein zweiter Absturz ein und derselben Linie. So unwahrscheinlich wie …

Das Telefon klingelt wieder. Mein Bruder.

– Mensch Horst, stell dir vor. Onkel Richard hat sechs Richtige im Lotto!

Um Gottes willen. Die Panik kehrt zurück.

– Aber weshalb ich eigentlich anrufe. Nimm dir Ostern bitte nix vor. Max, dein Patenkind musste doch Weihnachten im Krankenhaus feiern. Deshalb haben wir beschlossen, das an Ostern einfach zu Hause nachzuholen. Verstehst du, dann hat er Ostern und Weihnachten an einem Tag. Da darfst du nicht fehlen.

Entsetzt werfe ich den Hörer auf die Gabel, renne in die Küche, mache mir eine ganze Kanne heißen Kaffee und schütte ihn mir über den Kopf. Dann klingelt der Pizza- Service.

Überlege, ob ich ihm so öffnen soll, denke, wenn ich nur selbstbewusst genug gucke, merkt der's gar nicht. Ich öffne.

– Eine Vegetaria Maxi, der Herr. Macht 17,40 DM.

– Danke.

– Übrigens, auch wenn Sie noch so selbstbewusst gucken, ich sehe genau, dass Sie sich gerade eine Kanne Kaffee über den Kopf geschüttet haben. Ich glaub, das bringt nix, Kaffee ist zwar sehr belebend, aber Ihr Haarwuchs wacht auch davon, glaub ich, nicht wieder auf.

Ich nicke, zahle und schließe die Tür. Vegetaria, Mist, hätte lieber Salami gehabt. Den Rest des Tages und der Nacht liege ich wach. Zum dritten Mal nacheinander.

Am nächsten Morgen geht der Flug. Ab 5 Uhr packe ich: Zwei große Taschen, weil ich auch alles einpacke, was meine Eltern nicht finden sollen, wenn sie die Wohnung auflösen. Um acht holt Gabi mich ab.

Ich erkläre ihr meine letzten Tage. Trotzdem zwingt sie mich, eine U-Bahn-Karte zu kaufen. Es kommt, wie es kommen muss. Nach nur drei Stationen werden wir kontrolliert. Es ist passiert. Das dritte Zeichen. Auf einmal bin ich wieder völlig klar und logisch, also brülle ich: «Das ist der Beweis, wir werden alle sterben, ich steige nicht in dieses Flugzeug, nein, nein, nein, auf gar keinen Fall, nein.»

Gabi nimmt geistesgegenwärtig meine Karte, zerreißt sie und wirft die Schnipsel in den Waggon. Gerettet. Erleichtert zahle ich die 60 Mark. Puh, das war knapp.

Aber jetzt kann ich endlich gelassen in das Flugzeug steigen. Beschließe trotzdem, vorsichtshalber den ganzen Flug über die Luft anzuhalten. Man weiß nie, wofür's gut ist. Als mir die Luft ausgeht, übermannt mich die Müdigkeit der letzten drei Tage. Irgendwann landen wir in Barcelona, und Gabi stellt mich vor das Gepäcklaufband, damit ich auf meine Taschen warte. Als sie an mir vorbeifahren, bin ich allerdings viel zu fertig, um sie runterzunehmen, immerhin schaffe ich es, ihnen noch kurz zuzuwinken. Dann falle ich nach vorne auf das Laufband und schlafe wieder ein.

Eine offensichtlich stark kurzsichtige Frau verwechselt mich mit ihrem Gepäck, packt mich am Kragen und nimmt mich vom Band.

Nachdem wir in ihrem Hotel angekommen sind, will sie ihre Sachen aus mir herausnehmen. Davon wache ich auf. Sie bringt mich zurück zur Gepäckaufbewahrung des Flughafens und tauscht mich gegen ihren Koffer ein.

Gabi ist mit meinen Taschen auch noch da. Jetzt wird alles gut. Die ersten fünf Tage in Barcelona hab ich mich erst mal richtig ausgeschlafen. Dann hatten wir zwei prima Urlaubstage, bis Gabi den schlimmen Satz sagte:

– Ohh, in drei Tagen müssen wir schon wieder zurückfliegen.

– Fliegen? Wir fliegen nochmal? Noch drei Tage zu leben, ich überlege, was ich noch unbedingt in meinem Leben machen möchte. Mir fällt nix ein …

Der Berg ruft

Ein Bus bringt mich von Chur nach Haldenstein am Fuße der Graubündner Alpen. Ich durchquere das Dorf, und vor mir liegen Berge, wie ich sie so aus meiner niedersächsischen Kindheit gar nicht kenne. Irgendwo da oben liegt Altsäss, eine Kuhalp, auf der Jutta und Thomas, zwei Freunde, dreieinhalb Monate lang auf 80 Rinder und 16 Milchkühe aufpassen, um so die berühmte Alpenmilch zu gewinnen. In einer Stunde mittlerer Unzurechnungsfähigkeit habe ich versprochen, sie dort zu besuchen, und jetzt ist es so weit. Vor mir liegt ein Fußweg von knapp 15 Kilometern bei einem Höhenunterschied von über 1200 Metern. Erfahrene Bergsteiger wissen, dass es da zwischenzeitlich ganz schön steil raufgeht. Ich bin nicht unbedingt ein erfahrener Bergsteiger, genau genommen ist es das erste Mal, dass ich im Begriff bin, überhaupt auf irgendeinen Berg raufzusteigen, mal abgesehen vom Stemweder Berg, 160 Meter über dem Meeresspiegel. Boarhh, wenn ich da mit 'm Rad raufgemusst hatte, meine Herren, da war ich aber immer ganz schön kaputt gewesen. Und hier geht das jetzt achtmal so hoch, und ich hab nich mal 'n Fahrrad. Jungejungejunge. Da stehe ich nun. Ein Mann vor einem Berg. Ein imposantes Bild. In Kürze wird hier ein weiteres Kapitel im Buch des ewigen Kampfes zwischen Mensch und Natur geschrieben stehen.

Entschlossen schaue ich den Berg an. Der Calanda, Freunde

nennen ihn: Berg des Todes. Für einen kurzen Augenblick habe ich das Gefühl, als würde er auch mich angucken, und ich spüre in seinem Blick so etwas wie Respekt, vielleicht sogar Angst, ein gutes Gefühl. Ich schnalle mir meinen großen, schweren Rucksack auf den Rücken, hänge den kleinen, fast genauso schweren, mit zwanzig Büchern, Zeitschriften und, falls ich Heimweh bekomme, einem Berliner Stadtplan, gefüllten Rucksack vor den Bauch, richte mich auf und rufe mit fester Stimme: «Wohlan!!!» Die Einheimischen beobachten mich, das unwiderstehliche niedersächsische Kraftpaket, und haben offensichtlich Angst um ihren Berg. Zumindest verständigen sie vorsorglich die Bergwacht.

Ich beginne den Aufstieg. Rund fünf Stunden soll der dauern, pah, fünf Stunden Schweizer Tempo, das sind wie viele Stunden deutsches Tempo? Also sagen wir mal, das wär doch gelacht, also ungefähr schaff ich das doch aber locker in, na sagen wir mal, vier, na aber höchstens viereinhalb Stunden, aber sagen wir mal, aber hallo, jawoll!!! Und, da lauf ich ja auch schon. Hoi, schon toll, wie ich hier leichten Schrittes den Berg raufstürme, 100, 200, 300, 400 Meter, wie nix, jaa, 500, 600, Mensch, das geht richtig gut, 700, 800, obwohl jetzt werden die Beine langsam 'nen bisschen, ohohoh, 900, ojeojeoje, 910, 915, 916, 9 … oooha. Ich breche das erste Mal zusammen. Ein neuer Gedanke betritt mein Stammhirn, ein Gedanke, der für die nächste Woche zum Kern all meiner Überlegungen werden soll. Ich denke: Berge sind scheiße! Dann aber schon wieder kreative Ideen. Beschließe, den Rucksack mit den Büchern irgendwo im Unterholz zu verstecken und nächste Woche auf dem Abstieg hier wieder abzuholen. Eine sehr gute Idee. Schleppe mich dann weiter. Komme ohne den Bücherrucksack immerhin zwei Kilometer weit, bis ich wieder zusammenbreche. Ertappe mich bei dem Wunsch, eine Steinlawine möge niederkommen und mich erschlagen. Werfe einige Steine den

Berg rauf, aber es will einfach keine Lawine ins Rollen kommen. Bin enttäuscht. Das also meint Luis Trenker, wenn er vom Berg ohne Gnade spricht. Verstecke noch mehr Gepäck und kämpfe mich weiter. Finde mich erstaunlich zäh. Bei Kilometer 4 sehe ich, wie ungefähr 200 Meter vor mir doch mal eine Steinrutsche niedergeht. Renne, so schnell ich noch kann, dorthin, aber als ich am Steinschlag ankomme, ist schon wieder alles vorbei. Toll, jetzt fängt der Berg auch noch an, mich zu verarschen, Spielchen zu spielen. Kilometer 8. Bin jetzt seit fünfeinhalb Stunden unterwegs, mittlerweile 17-mal zusammengebrochen und habe längst mein gesamtes Gepäck auf den Berg verteilt. Die Geräusche des Berges, der Wind in den Bäumen, klingt wie ein dauerndes Gekicher des Berges über mich. Habe das Gefühl, er nimmt mich als Gegner gar nicht mehr ernst. Sehe, am Boden liegend, wie der Wanderweg in einer Schleife von ca. 4 Kilometern zu einem Zwischengipfel führt. Den kann ich auch auf einem allerdings sehr, sehr steilen direkten Weg von nur rund 500 Metern erreichen. Fasse einen letzten schwachsinnigen Entschluss. Rutsche nach gut zwei Dritteln des direkten, steilen Weges weg, scheppere ungefähr 20 Meter den Berg runter und bleibe dann wehr- und lustlos in einem Baumwipfel hängen. Das Pfeifen des Windes wird stärker, klingt, als wenn sich der Berg jetzt vor Lachen gar nicht mehr einkriegt.

Eine Stunde später befreit mich die Bergwacht bei ihrer routinemäßigen Abendtour aus dem Baum. Ich lüge: Da war 'ne Katze im Baum, die wollt ich retten. Der Mann von der Bergwacht lächelt, er hört diese Geschichte offensichtlich nicht zum ersten Mal. Dann bringt er mich zur Alp von Jutta und Thomas. Mein Gepäck hat er auch schon wieder eingesammelt, denn als er mich schwer bepackt in Haldenstein hatte stehen sehen, seien ihm die Normpunkte, wo ich zusammenbrechen und Ballast zurücklassen würde, sofort klar gewesen. 500 Meter vor der

Almhütte setzt er mich ab, um mir die Peinlichkeit vor Jutta und Thomas zu ersparen. Ein netter Mann.

Jutta und Thomas begrüßen mich voll Freude, ich will irgendwas sagen, wie: «Hallo», schlafe aber leider vorher ein. Die beiden tragen mich zu meinem Heubett, wo ich den Rest der Nacht in komatösem Schlaf verharre.

Am nächsten Morgen um halb sechs wecken sie mich. Die Kühe müssen von den Bergwiesen zum Melken geholt werden. Sie fragen, ob ich mithelfen will. Ich bin zu müde, um Nein sagen zu können und schlurfe ihnen hinterher. Es ist neblig im Berg. Sehr neblig. So neblig, wie ich es noch nie neblig gesehn hab, was egal ist, weil man in diesem Nebel sowieso nichts sieht. Thomas schickt mich einen Hang hoch, Kühe suchen. Laufe ein paar hundert Meter den Hang hoch und suche in dichtem weißem Nebel nach Kühen mit hellem, fast weißem Fell. Finde keine Kühe. Suche weiter. Nach zwei Stunden komme ich zu dem Entschluss, dass ich mich verlaufen habe. Suche jetzt die Almhütte. Finde auch keine Almhütte. Stolpere über eine Kuh. Die könnte ich jetzt eigentlich zur Almhütte treiben, wenn ich nur wüsste, wo die Almhütte ist. Das Leben und alles wird plötzlich sinnlos. Ob es hier wohl Lawinen gibt? Bekomme kurz vor der endgültigen Verzweiflung die rettende Idee. Laufe ein ganzes Stück den Berg runter, bis zu dem Baum von gestern. Springe da wieder rein und warte, bis mich die Bergwacht am Abend abholt und zur Hütte zurückbringt. Das ist clever.

Frage den netten Mann von der Bergwacht, ob er gute Stellen für Lawinen kennt. Er lächelt und rammt mir seine Faust in die Schulter. Ich will gerade mit dem Verärgertsein anfangen, da erklärt er mir, dieser Schlag gibt nur 'ne Prellung. Ich soll einfach sagen, ich sei den Berg runtergefallen und verletzt. So könnte ich mein Gesicht wahren und bräuchte den Rest der Woche nur noch Küchendienst machen. Mensch, diese Schweizer, die wissen eben doch am besten, wie man in den Bergen überlebt.

Als Deutscher auf Reisen

Grundsätzlich habe ich gar nichts gegen das Verreisen. Nein, ich fahre eigentlich sogar ganz gern ins Ausland. Auch wenn es nicht immer leicht für mich ist, also für mich als Deutschen.

Für meine Generation war es nie ganz einfach, sich im Ausland als Deutsche zu erkennen zu geben. Die meisten Bewohner des benachbarten Auslands rümpfen doch die Nase, wenn man zugibt, Deutscher zu sein, und wenn man doch mal von jemandem mit offenen Armen überschwänglich freudig begrüßt wird, muss man immer befürchten, dass derjenige vermutlich ein Faschist ist.

In meiner Jugend war mir das immer peinlich, weshalb ich im Ausland regelmäßig behauptet habe, ich sei Schwede. Zwar kann ich kein Schwedisch, aber fast alle Schweden sprechen Englisch. Ich bin damit ziemlich gut gefahren, nur dreimal gab's ein paar Probleme. Vor zwölf Jahren, als ich nach einer Woche Prag derart von meiner schwedischen Identität überzeugt war, dass ich dies auch bei der Ausreise angab, gleichzeitig meinen deutschen Pass vorzeigte und daraufhin zwölf Stunden an der Grenze festgehalten und verhört wurde. Meine damaligen Mitreisenden sind bis heute deshalb etwas sauer auf mich. Vor acht Jahren in Paris bat mich ein Kellner, für drei Schweden an einem anderen Tisch zu dolmetschen. Damals wollte ich den Schwindel schon gestehen, bemerkte aber noch rechtzeitig, dass die drei anderen Schweden aus Kaiserslautern kamen. Verwandte Seelen. Und meine, privat gesehen, größte Enttäuschung im letzten Jahr, mein Urlaub in Norwegen, als ich feststellen musste, dass die Norweger gar nichts gegen Deutsche haben, aber Schweden nicht ausstehen können.

Kurzfristig reserviert

Wenn man innerhalb eines halben Jahres dreimal längere Zug-
fahrten im Gang stehend verbracht hat, weil kurz vor der Abfahrt
doch noch jemand mit einer kurzfristigen Reservierung kam
und einen vom mühsam ergatterten Platz verscheucht, dann
wird man nachdenklich und irgendwann selbst zum Schwein
und spielt eben dieses schändliche Spiel mit. Erst recht, da ich
auf der Fahrt noch eine Geschichte schreiben möchte. Es geht
um einen friedliebenden jungen Mann, der zufällig in seinem
Garten eine neuartige Pflanze gezüchtet hat, welche heftige Blä-
hungen verursacht. Es stellt sich heraus, dass diese Gase nach
dem Austritt aus dem menschlichen Körper schnell in die Atmosphäre aufsteigen und eine Zusammensetzung haben, die
dort oben in der Atmosphäre das bedrohliche Ozonloch zur
Gänze schließen und damit die gesamte Menschheit retten.
Schöne Geschichte, macht Hoffnung, toll.
Von Schwaben zurück nach Berlin geht die Fahrt. Ich stehe
nervös am Hauptbahnhof Stuttgart und warte. Ich habe Angst.
Was, wenn der Zug jetzt auf einmal völlig leer ist, dann hätte ich
5 Mark für die Reservierung für nix und wieder nix …, und das
in Schwaben! Was würde der Schaffner von mir denken?
Aber ich habe Glück, der Zug ist rappelvoll, bis in die Gänge
stehen sie mit ihren Taschen, Koffern und Snowboard-Beuteln.
Mich befällt Zufriedenheit. Diese armen Dummpfropfen, das
wird ihnen eine Lehre sein. Wären sie so klug und weltgewandt
wie ich, dann hätten auch sie eine kurzfristige Reservierung.
Trotzdem gebe ich ihnen, während ich mich mit meiner Tasche unter massivem Ellenbogeneinsatz über Koffer, Kinderwagen und Fahrgäste im Gang zu meinem reservierten Platz
vorkämpfe, gerne freundliche Lebenshilfe:
– Platz!!! Platz!!! Ich habe kurzfristig reserviert!!! Jaha, da wird
man nachdenklich, was? Vielleicht mal 'n bisschen voraus-

schauender reisen, was? Bisschen umsichtiger planen, wie wär das mal zur Abwechslung, nich nur immer fun, fun, fun, auch mal an morgen denken, da kannste was lernen, kurzfristige Reservierung, na ja, wer nicht denken will, muss stehen, hä, höhö. Jajajajaa … Junge Leute. Hähä!

Meine gute Laune erreicht ihren Höhepunkt, als ich bemerke, dass ich von meinem Platz auch noch beste Sicht auf den voll gestopften Gang habe. Stolz und siegessicher marschiere ich dorthin, bis ich bemerke, dass dort eine junge Frau sitzt, die offensichtlich hochschwanger ist. Verdammt! Jetzt heißt es ruhig bleiben, ruhig und souverän einen Ausweg finden, das kann doch nicht so schwer sein.

– Entschuldigung aber das ist … mein Platz. Ich habe kurzfristig … Warum sind Sie denn schwanger? Das geht doch nicht, aber macht nix, bleiben Sie sitzen, muss halt die Frau neben Ihnen, weil ich, ich bin ja Arzt, jawoll Arzt, das bin ich zufällig. Und da wär es doch das Vernünftigste, wenn ich während der Fahrt neben Ihnen sitzen würde, nur so für den Fall der Fälle, nicht wahr?

Brillant. Erwartungsfroh schaue ich auf die etwas ältere Frau neben ihr. Aber es stellt sich heraus, dass sie die Hebamme der Schwangeren ist.

Die Leute im Gang schauen grinsend zu mir herüber: «Hallo!»

Da kann ich unmöglich hin zurück. Ich hatte mich in eine Lage manövriert wie seinerzeit Napoleon Bonaparte bei seinem Russlandfeldzug, als er auf dem Weg nach Moskau sämtliche Dörfer und Ortschaften unterwegs gebrandschatzt hatte.

Nun rund 200 Jahre später ist mein Moskau hochschwanger und damit auch uneinnehmbar. Mich erwartet ein verdammt opferreicher Rückzug durch den Gang. Da soll noch einer sagen, Geschichte wiederholt sich nicht. Aber zumindest will ich nicht verhungern. Greife meine Tasche und schlage mich zum

Speisewagen durch. Während ich auf einen freien Platz warte, schreibe ich, auf dem Boden hockend, meine Geschichte weiter. Sie nimmt einen eigenartigen Verlauf. Mittlerweile sind meinem Helden die Setzlinge der Pflanze gestohlen worden, sein Garten wurde umgegraben, sein Haus gebrandschatzt. Nach nur zwei Stunden wird kurz hinter Frankfurt ein Platz im Speisewagen frei. Wenn ich alle halbe Stunde einen Kaffee bestelle, sichert mir das das Bleiberecht und kostet mich bis Berlin 30 Mark, teure Platzkarte, aber es wäre mir immer noch besser ergangen als Napoleon. Allerdings sitzen an meinem Tisch schon Blücher und Wellington. In unserem Jahrhundert heißen sie Herr Fringer und Dr. Maismann. Offensichtlich macht der eine in Kosmetika, der andere in Textilien. Das wissen mittlerweile alle hier, denn sie quatschen unaufhörlich in ihre Handys:

– Ja, Fringer hier, na der Fringer, von Fringer und Fringer, ich bin jetzt kurz hinter Frankfurt, sagen Sie dem Herrn Protzner, er soll mich zurückrufen, damit wir uns in Berlin gleich treffen können. Die Sache ist sehr wichtig. Meine Nummer ist 0173–4424453, Fringer, sehr wichtig!!!

Der Protagonist meiner Geschichte findet derweil heraus, dass die Kosmetik- und Textilindustrie für sein Unglück verantwortlich ist.

Zwischen Dr. Maismann und Herrn Fringer ist längst ein Wettstreit entbrannt, wessen Geschäfte bedeutender sind, also brüllen sie immer lauter in ihre Taschentelefone, damit auch jeder im Wagen ganz sicher von ihrer immensen Bedeutung für den Wirtschaftsstandort Deutschland, ach was sag ich, Europa unterrichtet ist. Dabei versuchen sie sich verzweifelt zu übertreffen. Die sehr wichtigen Geschäfte werden: extrem wichtig, außerordentlich wichtig, unerhört wichtig, elementar, zukunftsweisend, volkswirtschaftlich entscheidend, es geht um Leben und Tod.

Leider scheint sich Herr Protzner der Bedeutung dieser Geschäfte nicht bewusst zu sein, denn er ruft einfach nicht zurück, weshalb Herr Fringer allein ihn innerhalb einer Stunde genau 18-mal zu erreichen versucht.

Beim 19ten Versuch bricht der Held meiner Geschichte in einen Waffenladen ein und deckt sich mit Schusswaffen aller Art ein. In Hildesheim steigt Dr. Maismann aus. Offensichtlich hat er verloren und muss zur Strafe in Hildesheim bleiben. Euphorisiert von diesem Erfolg brüllt Fringer nach Hannover nochmal doppelt so laut in sein elektronisches Zepter. Das und die beträchtlichen Kaffeemengen in meinem Körper führen dazu, dass sich mein Held nun eine Kalaschnikow greift und wild um sich schießend einen Amoklauf durch Berlin startet. So kann es nicht weitergehn. Ich muss etwas unternehmen.

Gehe einen Waggon weiter zum Kartentelefon und wähle Fringers mir mittlerweile hinlänglich bekannte Handynummer:

– Ja, hier ist Protzner, hörn sie zu, Fringer, ich bin im Moment gar nicht in Berlin, ich bin im Moment etwas nördlich von Braunschweig bei der Jagd, trotzdem sollten wir uns aber unbedingt treffen, Sie wissen ja selbst, wie wichtig diese Sache ist. Steigen Sie also in Braunschweig aus, nehmen Sie sich ein Taxi zur nördlichen Stadtgrenze und laufen dann einfach gerade in den Wald hinein. Dann kommen Sie direkt auf mich zu, können Se gar nicht verfehlen!!!

Als ich zurückkomme, kramt Fringer schon hektisch seine Sachen zusammen. Er will noch einen Anruf machen, aber der Akku seines Handys ist leer. Überlege kurz, ob ich ihn dann nicht aufklären sollte, komme aber zu dem Schluss, dass es Herrn Fringer sicher mal ganz gut tut, eine Weile durch den Wald zu laufen. Ich verabschiede ihn: «Bleiben Sie stark, Herr Fringer, wir alle verlassen uns auf Sie.» Er nickt wissend und hastet dann zum Ausgang.

Endlich Ruhe. Wunderbar. Und ich kann meine Geschichte zu Ende schreiben. Schnell stellt sich heraus, dass zufällig alle

Menschen, die mein Protagonist erschossen hat, skrupellose, von Außerirdischen gesteuerte Textil- und Kosmetikhändler waren, die die Weltherrschaft erringen und die Menschheit versklaven wollten. Mein Hauptakteur wird als Retter gefeiert, seine Pflanze flächendeckend angebaut und schnell das Ozonloch geschlossen. Alles ist nochmal gut gegangen, und sogar den ganzen Kaffee hat mir der Mitropa-Kellner, nachdem er zufällig mein Gespräch am Kartentelefon mitgehört hatte, am Ende spendiert. Netter Zug.

Das blutrünstige Eichhörnchen

Jutta schaut mich streng an.
– Horst, du siehst nicht gut aus. So blass, so kränklich, du musst mal raus, mal einen der letzten schönen Tage nutzen, mal 'n bisschen ins Grüne, dass de 'nen bisschen Farbe kriegst, gönn dir das mal!!! Erhol dich mal 'n bisschen …
– Oohh, brrrh, ich weiß nich, bin eigentlich zu kaputt für diese ganze Erholerei, das macht doch immer auch viel Arbeit, das wird mir schnell zu viel …
– Nein, du musst mal raus, in den Wald, Natur sehn.
– Oh nee, ich kann morgen nicht, total viel zu tun, tagsüber muss ich unbedingt meine Wand im Flur anstarren, um zu überlegen, in welcher Farbe ich die mal streiche, und am Abend muss ich mich dann aus Frust betrinken, weil ich mich nicht entscheiden konnte. Keine Chance, der Tag is voll.
– Vergiss es, morgen ist Ausflug, und freue dich gefälligst drauf!!! Ich übernehm auch die ganze Organisation.
– Ehrlich?
– Klar. Kein Problem. Du mietest morgen früh einen Wagen, besorgst schön was zum Picknick und holst mich dann ab. Den Rest mach ich.

– Welchen Rest?

– Na, während der Fahrt aus dem Fenster gucken und dir sagen, wann es schön ist, damit du da aussteigst und dich dann aber ordentlich erholst. Sei um halb zehn bei mir!

Die Nacht über stehe ich vor lauter Vorfreude am offenen Fenster und schieße mit der Zwille Kirschkerne in den Himmel, um die Wolken aus dem Gleichgewicht zu bringen, damit's am nächsten Morgen schön regnet. Das wäre die Rettung. Hat aber nicht geklappt. Gegen vier kippe ich völlig übermüdet nach vorn über und döse mit dem Oberkörper über der Fensterbank nach draußen hängend weg. Kurz nach Sonnenaufgang beginnen zwei offensichtlich vom nochmaligen Frühlingseinbruch im September völlig verwirrte Schwalben unter meinem Kinn ein Nest zu bauen. Davon wache ich auf. Immerhin habe ich zum ersten Mal seit Wochen beim Aufstehen keine Rückenschmerzen. Beschließe, demnächst öfter mal zum Fenster raushängend zu schlafen. Dafür tun jetzt die zwei Kilo Kirschen aus der Nacht ihre Wirkung. Den Rest des Morgens bis 8.00 Uhr verbringe ich auf der Toilette.

Danach besorge ich einen Mietwagen und Picknick und stehe Punkt halb zehn vor Juttas Tür. Sie erwartet mich mit zwei großen gepackten Koffern.

– Ach Mensch, Horst, hatte ich ja ganz vergessen, ich verreise ja heute, tut mir leid, ich kann leider nicht mitkommen, aber wo du schon mal den Wagen gemietet hast, kannst du mich eben zum Flughafen bringen?

Mensch, die Jutta. Ich war beeindruckt. Wenn man mit so viel Liebe und so durchdacht ausgenutzt wird, kann man nicht böse sein. Und sogar an ihren Reiseproviant hat sie gedacht. Aber als ich ihr das Picknick überreichen will, wehrt sie ab:

– Nein, nein, nur die Hälfte. Mit dem Rest machst du deinen Ausflug, du musst wirklich mal ins Grüne. Siehst schlimm aus, als wenn man dich die Nacht über zum Fenster rausgehängt hätte.

Sie überreicht mir zwei weiße Zettel.

– Das soll kein Misstrauen sein, aber lass dir hier drauf einfach von einem Eichhörnchen einen Gebiss- und einen Tatzenabdruck machen und zeig mir die Zettel, wenn ich zurückkomme, vor.

Das war fair und machbar. Ich würde Jutta schnell zum Flughafen bringen, hole mir dann irgendwo im Umland von einem Eichhörnchen meine Anwesenheitsstempel und bin mit etwas Glück so zeitig zu Hause, dass ich dann doch noch wenigstens ein paar Stunden Wandangucken wegschaffen kann.

Als ich im Wald ankomme, sind die Bäume schon alle da. Ich fahre tief in einen Feldweg hinein, schließe den Wagen ab und schaue mich um:

«Ah guck da, ein Baum, schön, schön, und noch einer toll, super, zwei Bäume, und noch einer, nee schon toll, was die hier so hingestellt haben, diese Bäume, nee, kannste nix von sagen, hat se schön gemacht, die Natur, wirklich, Bäume schon toll, hat sich doch gelohnt, Bäume, jaaa … Dann wird's mir langweilig. Stelle fest: Wenn man einen Baum gesehn hat, kennt man sie alle. Gehe tiefer in den Wald und suche jetzt nach den Tieren. Keine da.

Na gut, leg ich mich eben unter einen Baum und warte ab.

Vorsorglich verstreue ich noch ein paar Nüsse, um den Tieren zu zeigen, dass ich die Regeln kenne und weiß, wie's läuft. Dann döse ich weg und verschmelze gleichsam mit der Natur.

Nach einer halben Stunde trudeln die Tiere ein. Die ersten sind natürlich die Ameisen, die mich mit ihren Bissen sanft wecken. Dann kommen auch die anderen Tiere, Eichhörnchen, Rehe und brrrh, Tiere, die so ähnlich aussehen wie Rehe und Eichhörnchen. Die Tiere sehen traurig aus. Das ist, weil sich heute niemand mehr für sie interessiert. Sie sind einfach nicht mehr spektakulär genug. Früher war das anders. Da mussten sie nur niedlich und possierlich sein, und alle waren zufrieden. Aber heute reicht das nicht mehr. Heute wollen die Menschen mehr von ihnen sehen, mehr Action. Man verlangt von ihnen, dass sie sich jagen, hetzen und zerfleischen. Das ist die Schuld von Hardy Krüger. Hardy Krüger hat den Tierfilm kaputtgemacht.

Früher, das waren noch Tierfilme. Ewig zeigte da die Kamera z. B. eine Gämse, die nur so dastand, im Berg, 2, 3, 4, 5 Minuten und länger nur die Gämse, und dann, die Stimme aus dem Off: «Eine Gämse», dann wieder lange nix, man döst langsam weg, bis plötzlich die Gämse sich bewegt, durch den Berg stakst: «Mit großem Geschick bewegt sich die Gämse behände durch den Berg.»

Dann überschlagen sich die Ereignisse, die Gämse frisst.

«Jetzt frisst die Gämse. Die Gämse braucht nicht viel. Ihre Nahrung findet sie selbst in großen steinigen Höhen.»

Die Kamera bleibt noch ein paar Minuten drauf. Das raffinierte technische Mittel der Zeitlupe kommt zum Einsatz. Und dann Schnitt. Ein Murmeltier auf einer Bergwiese. Und die Stimme: «Ein Murmeltier. Es guckt.»

Und wir dachten: «Boarh.» Zufrieden schlummerten wir langsam vorm Fernseher weg und träumten von unserer Zukunft.

Ja, wir wollen wie Gämsen sein. Nicht viel brauchen, nicht viel machen, viel rumhängen, rumstehen, bisschen Sex vielleicht. Wir hatten damals noch Ziele.

Es entstand eine Generation der Kiffer und Schluffis, die aber noch staunen konnte:

– Hey, Gämse, cool!!!

Das Eichhörnchen will mir einen Gefallen tun und fängt an, ein Reh zu verprügeln. Aber ich sage: «Muss gar nicht» und lasse mir nur meine Belege stempeln.

Aus Dankbarkeit packen mir die Tiere noch ein paar Schinken

und Rippchen von frisch überfahrenem Wild ein und zeigen mir dann den Weg zurück zum Auto.

Ich will gerade einsteigen, als ich plötzlich von weit, weit entfernt eine näher kommende Stimme höre: «Herr Protzner! Hallo Herr Protzner!!!!»

Zwei Tage ist das Intermezzo im Zug mittlerweile her. Nicht schlecht, da muss er von Braunschweig echt zügig gegangen sein.

Leben zur Jahrtausendwende 1 – Harte Zeiten

Stehe vor dem Fenster und beobachte Passanten, wie sie auf dem Glatteis ausrutschen und hinfallen. Das ist lustig. Damit es spannender ist, habe ich eine Liste Männer/Frauen. Die Männer führen 5:3, noch ein Sturz, und sie haben den ersten Satz gewonnen. Hätte ich eine Videokamera, könnte ich hier mit Videos für Pleiten, Pech und Pannen ein Vermögen verdienen, aber ich habe keine Kamera, wir leben in harten Zeiten. Rumms, den Mann mit den Einkaufstüten hat's erwischt. 6:3, die Entscheidung, ich öffne kurz das Fenster und rufe: «Nicht traurig sein, Frauen, morgen ist wieder ein neues Spiel.» Ach, Winter ist schon toll.

Ich versuche, mich an meinen Traum zu erinnern. Wenn ich nicht von ausrutschenden Passanten träume, träume ich meist das Übliche. Ich, edler Ritter in silberner Rüstung, bin gerade dabei, eine Hand voll anmutiger Jungfrauen aus den Händen ziemlich gefährlicher, Feuer speiender Drachen zu befreien. Viele meiner Freunde finden, ich träume altmodisch.

Ich sollte frühstücken. Was hamm wir denn da? Nix. Hm. Kein Frühstück da, kein Geld da, das ist schlecht. Na ja, hilft ja nix, also nochmal Pyjama anziehn, Hausschuhe mit Spikes anziehn, mein großes Schild umhängen: «Vorsicht Schlafwandler, nicht ansprechen, Lebensgefahr!!!», und auf geht's zum REWE-Markt. Auf dem Weg starren mich zwar alle an, aber keiner spricht mich an. Ich nehm mir Brot, Butter, Käse, Wurst, Zigaretten, Zeitung und gehe unbehelligt zurück nach Hause, na, geht doch. Man muss sich nur zu helfen wissen. Im Treppenhaus begegnet mir Herr Britz aus dem dritten Stock, er schlafwandelt auch, hat aber einen Videorecorder unterm Arm. Verdammt, ich denk einfach nicht groß genug. Obwohl, bis zum Karstadt schlafwandeln ist schon verdammt weit. Andrerseits könnt ich mir dann auch gleich eine Videokamera mitnehmen und würde beim nächsten Glatteis ein Vermögen mit Umfall-Videos verdienen. Aber ob es noch genauso viel Spaß macht, Leuten beim Umfallen zuzugucken, wenn ich damit mein Geld verdiene? Ist es dann nicht einfach nur noch ein Job?

In Würde altern

Das Kind schnauzt mich an.
– Haste das jetzt kapiert, oder muss ich's nochmal erklären?
– Hör mal, junger Mann, in dem Ton redeste aber nich mit mir …
– Ich kann's auch lassen, dann stürzt dir das Ding eben weiter jeden Tag dreimal ab, hab ich keine Probleme mit!
– Nee nee, is schon gut.
Die ganze Situation hatte in der Tat etwas Entwürdigendes. Jonas, der elfjährige Sohn meiner Nachbarin, installierte mir auf meinem Computer Norton Utilities, während ich ihm dafür ein Bild für den Geburtstag seiner Mutter malte.
– Da müssen noch mehr Blumen rauf, Mama mag Blumen, und ich will ihr mit dem Bild eine Freude machen, außerdem will ich ein neues Fahrrad, also streng dich gefälligst an!
Ich sage nix, denn ich will dieses komische Norton Utilities ha-

ben, aber mir wird mulmig bei dem Gedanken, dass dies die Generation ist, die uns dereinst im Alter umsorgen wird. Ich kann mir genau vorstellen, wie die Altersheime unserer Generation im Jahr 2030 oder 2040 aussehen werden. Da wird nix mehr sein mit freundlichen jungen Frauen oder Zivildienstleistenden, die unsere Rollstühle durch blühende Parkanlagen fahren und sich geduldig lächelnd zum 357sten Mal anhören, «wie schön das früher war, als die Vögel noch einfach lustig fiepend durch die Gegend flogen, und nicht wie jetzt nach gentechnologischen Veränderungen durch skrupellose Geschäftemacher den ganzen Tag sinnlose Werbeslogans trällern: ‹… piep, piep, piep, 0190 333 333, 333 333, piep, piep, piep, ruf an.› Früher gab's das noch nich. Das waren noch Zeiten, wie ich jung war, da hätten Se mich mal sehen müssen. Ach, wenn wir uns doch man 'nen paar Jahrzehnte früher getroffen hätten.» So in etwa hatte ich mir das Altsein vorgestellt.

Aber nein, im Altersheim der Zukunft wird man uns alle, allein, jeweils in ein kleines Zimmerchen mit Computerbildschirm setzen. Die schönen Altersspaziergänge werden wir, wenn überhaupt, dann nur virtuell machen. Unsere Nachmittage verbringen wir in Chatrooms, die Namen haben wie Karstadt-Bistro und Café Keese, und chatten da über unsere Krankheiten oder unser neues Hüftgelenk, das uns der nette junge Mann von «Körperteile auf Rädern» am Vormittag vorbeigebracht hat. Nachts aber klinken wir uns, getrieben von seniler Bettflucht oder Altersgeilheit in die Chatrooms der jungen Leute ein, nehmen, da man uns nicht sehen kann, eine andere, eine jüngere Identität an, in der Hoffnung, noch einmal einen heißen Feger aufreißen zu können. Die jungen Leute aber enttarnen uns blitzschnell und werfen uns aus ihren Chatrooms, da sie uns sofort daran erkennen, dass wir immer noch nach den alten Rechtschreibregeln schreiben.

Doch einmal im Jahr ist Faschingsball im Seniorenheim der

Zukunft. Zusammen mit unserem Essen kommt dann ein lustiges Papphütchen aus dem Ernährungsfax. Das müssen wir uns aufsetzen, wenn dann die nimmermüde Stimmungskanone Pete Townshend via Internet für alle Altersheime der Welt die Hits unserer Jugend spielt. Vor allem mindestens dreimal: «My Generation», und immer bei der Zeile: «Hope I'll die, before I get old» blendet sich ein computeranimierter Curt Cobain ein, der mit eindringlicher Stimme fragt: «Wann haben Sie eigentlich das letzte Mal darüber nachgedacht, was aus Ihren Träumen geworden ist? Noch ist es nicht zu spät. Nehmen Sie sich ein Herz und treffen Sie eine Entscheidung.» Aber den Gefallen werden wir ihnen nicht tun, wir werden einfach immer älter und älter werden. Das wird unsere Rache sein.

Ja, so sieht unsere Zukunft aus. Das ist die Wahrheit. Ich denk mir das nich aus.

Für jede Generation kommt irgendwann der Moment, wo sie bei einem technologischen Fortschritt der Welt einfach nicht mehr mitmacht. Irgendwann will man einfach nich mehr. Das muss man dann nicht auch noch unbedingt verstehn. Bei meinen Eltern war das der Videorecorder, bei meinen Großeltern die Digitaluhr, bei meinen Urgroßeltern der Reißverschluss.

Ich hatte lange das Gefühl, bei mir hätt's das Internet sein können. Gut, ich bin vielleicht noch ein bisschen jung für den Ausstieg aus dem gesellschaftlich-technologischen Fortschritt, aber ich war ohnehin nie so ein technologischer Typ. Schon in jungen Jahren, ich war gerade dreizehn geworden, bin ich von der Wissenschaft bitter enttäuscht worden.

Damals hatte ich zum ersten Mal von den Pawlow'schen Experimenten gehört. Speziell faszinierte mich der Bereich der Traumsuggestion. Man hört während des Schlafens irgendwelche Kassetten, und am nächsten Tag kann man alles, was darauf ist, wie aus'm Eff-Eff. Allerhand!

Auch ich wollte mir seinerzeit diese Traumsuggestion zunutze machen, stellte erst meinen Wecker auf 2 Uhr und dann einen Kassettenrecorder mit folgendem, von mir besprochenem Band in das Schlafzimmer meiner Eltern:

«Mensch, der Horst, der braucht aber mal ganz dringend eine supergute Stereoanlage. Jawoll!!! Gleich morgen gehn wir los und kaufen eine!»

Ein ins Brillante lappender, prima Plan. Nach einer Woche ohne jeden Erfolg jedoch habe ich aufgegeben. Erst viel, viel später fand ich heraus, dass mein Vater den Recorder schon in der ersten Nacht bemerkt, seinerseits eine Kassette besprochen und das Ganze für seine Zwecke eingesetzt hatte. Das war dann auch der Moment, in dem ich endlich begriff, warum eigentlich ausgerechnet Autowaschen in meiner gesamten Jugend mein allerliebstes Hobby gewesen war.

Nach diesem Erlebnis habe ich mich von der Wissenschaft abgewandt. Die Gefahren wurden einfach unkontrollierbar.

Leben zur Jahrtausendwende 2 (Treppen)

Man kann das Gefühl kaum beschreiben, wie es ist, wenn man jahrelang im Parterre oder im ersten Stock gewohnt hat und jedes Mal beim Schritt über die Türschwelle dachte: «Oh Mensch, so 'n bisschen Tageslicht in der Wohnung wär schon schön. Muss ja nich viel sein, nur so zum Tagsüber-das-elektrische-Licht-Ausmachen-und-trotzdem-noch-das-meiste-Sehen-können. Das wär doch was. Ja. Möcht ich auch mal! Wenn man dann tagsüber im Dunkeln gegen den Garderobenständer rennt, wie jeden Tag, und sich zum 769sten Mal denkt: «Mann, jetz stell ich den Garderobenständer aber mal hinter den Lichtschalter. Sofort. Also gleich morgen. Oder ich zieh um. Also eins von beiden.»

Und dann dieses Gefühl, wenn man tatsächlich umgezogen ist, in den dritten Stock, sonnendurchflutet, und endlich auf der Türschwelle denken kann: «Boarh, diese Treppen bringen mich um!», um danach vor Erschöpfung in den Garderobenständer zu fallen. Was, das nebenbei, ein ganz anderes, schon angenehmeres Fallen an sich ist, das stimmt schon.

Dieses Gefühl sagt einem mehr über die Psyche und die Natur des Menschen, als es hundert Tage im Big-Brother-Haus je könnten.

Leben zur Jahrtausendwende 3 (Hochbett)

Dienstagmittag 12.00 Uhr, sitze zu Hause auf meinem Sofa und renoviere die Wohnung. Das heißt, genau genommen blase ich Zigarettenrauch gegen die Wand und lasse alle Maschinen, die ich so habe, vom Staubsauger bis zum Mixer, in voller Lautstärke laufen. Diese Renoviererei is ganz schön anstrengend. Seit zwei Stunden sitz ich hier jetzt schon und rauche, was das Zeug hält. Keine leichte Arbeit, aber man will ja schließlich auch mal fertig werden.

Vorher hatte ich mir eine Baustelle angesehen, um zu gucken, wie die Profis so eine Renovierung oder Sanierung angehen. Ich habe die Bauarbeiter eine halbe Stunde beobachtet, viel gelernt und mich dann entschlossen, es ganz genauso wie sie zu machen.

Dass ich den Rauch gegen die Wand blase, hat auch seinen Grund. Jutta, eine Freundin, hat mir nämlich geraten, meine Wände gelb zu wischen. Das sei heutzutage unbedingt notwendig. Mit Gelb-Wischen meinte sie diese Schwamm-Malweise, mit der in den letzten zehn Jahren die Wände von praktisch allen Kneipen in Berlin bemalt wurden. Der Gedanke, viel, bestimmt viel Geld sparen zu können, wenn es bei mir genauso aussieht wie in der Kneipe, leuchtete auch mir ein.

Da ich mir allerdings das ganze Gedöns mit Möbel rücken, Wände freiräumen, Fußboden abdecken und so sparen will, versuche ich, die gelbe Farbe an die Wand zu kriegen, indem ich beständig Zigarettenrauch gegen die Wand blase. Langwierig und anstrengend zwar, aber das wird dann bestimmt auch mal sehr wertvoll werden, immerhin ist es mundgeblasen.

Na ja, zumindest die Bilder hätte ich eigentlich abnehmen können. Andererseits, wenn ich die hinterher sowieso wieder an dieselben Stellen hänge, wäre es ja auch eine ziemliche Verschwendung von Zeit und Material, die Wand darunter mitzustreichen. So dicke hab ich's ja nu auch wieder nicht. Ein bisschen nachgedacht, und schon kann man sich viel unnötige Mühe sparen.

Die Leiter vom Hochbett dagegen soll eigentlich nicht für immer an der Wand lehnen. Seit ich die Leiter vor ca. einem Jahr in einem plötzlichen, geradezu blindwütigen Rausch der Arbeitswut vom Hochbett abgeschraubt habe, um endlich mal die kaputte zweite Stufe zu reparieren, dann allerdings genauso plötzlich die Lust wieder verloren und die Leiter erst mal für einen Moment gegen die Wand gelehnt habe, seitdem steht sie da. Und ich war nie wieder oben auf dem Hochbett. Ging ja nicht mehr. Die erste Woche habe ich einfach auf dem Sofa geschlafen, dann wegen schlimmer Verknorzungen beschlossen, dass jetzt mal was passieren müsse, mir eine neue Matratze besorgt und sie unter das Hochbett gelegt. Ich frage mich oft, wie es jetzt nach all der Zeit wohl oben auf dem Hochbett aussieht? Mensch, da leben wir eingangs des dritten Jahrtausends, die Welt wird immer kleiner, in jede Ecke der Erde kann man immer schneller reisen, aber auf mein Hochbett gibt's kein Hinkommen. Verrückte Welt. Für die Reparatur der Leiter bräuchte ich wenigstens drei Stunden. In der Zeit wäre man mit der neuen ICE-Strecke auch locker in Hannover. Das steht doch in keinem Verhältnis. Abgesehen davon, dass es in Hannover in etwa genauso viel zu sehen und zu erleben gibt wie auf meinem Hochbett, kenne ich dieses Phänomen des Verlustes naher Räume bislang nur von meinen Kellern. In den drei Wohnungen mit Keller, die ich bewohnt habe, funktionierte das immer nach dem gleichen Prinzip. In den ersten drei/vier Monaten habe ich noch fleißig alles Gerümpel, Müll oder Pappkartons in den Keller getragen, bis er irgendwann voll war, von dem Moment an habe ich ihn nie wieder betreten. Das heißt, halt, in der Wohnung im Wedding habe ich es mal versucht. Dort bin ich vor meinem Haus eine halbe Stunde auf und ab gelaufen und hab die ganze Zeit laut vor mich hin geredet:

«Mensch, jetzt hab ich doch glatt vergessen, meinen Keller abzuschließen, und ich muss doch gleich los, oje, oje, mit all dem wertvollen Zeug dadrin, kerl, kerl, kerl, und dann ist das auch noch gleich, wenn man reinkommt, der zweite Keller links, herrje, den findet doch jeder, oh Gott, oh Gott, oh Gott, na hoffentlich kommt da nix weg. Mann, mann, mann!»

Dann habe ich mich zwei Stunden in ein Café gesetzt und abgewartet. Aber als ich zurückkam, hing nur ein Zettel: «Verarschen kann ich mich selber!», am Keller. Von meinem Zeug fehlte nix, im Gegenteil, ich weiß nicht wie, aber irgendwie hat irgendjemand noch drei weitere Müllsäcke und zwei Gerümpelkartons in den Keller gekriegt.

Seitdem schließe ich meinen voll gestellten Keller ab. Ich kann damit leben.

Wenn bei meinem nächsten Umzug der ganze Kellerinhalt wieder ans Tageslicht kommt, ist das eigentlich auch früh genug. Selbst im dritten Jahrtausend, wo man mit einem Mausklick auf jede Ecke der Erde gucken kann, sollte es doch vielleicht noch ein paar Geheimnisse und unerforschte Gegenden geben. Meinen Keller und mein Hochbett zum Beispiel.

Leben zur Jahrtausendwende 4
(Umzugkartons)

Im Flur meiner Wohnung stehen noch immer zehn nicht aus-
gepackte Umzugkartons.

Der Umzug war irgendwann Anfang letzten Jahres. Warum ich
diese letzten zehn Kartons immer noch nicht ausgepackt habe,
weiß ich nicht. Hat sich irgendwie nicht ergeben. Dabei habe
ich die anderen 93 Kartons in den ersten drei Wochen nach
dem Umzug direkt, ziemlich schnell und gewissenhaft ausgepackt. Aber dann …

Vermutlich bin ich irgendwie abgelenkt worden, Telefon oder
so …, und hab danach dann versehentlich schon mit dem
Wohnen angefangen. Ja, und wie's denn so ist, wenn man erst
mal mit dem eigentlichen Wohnen angefangen hat, packt man
die letzten Kartons nie mehr aus. Was in diesen Kartons drin
ist, weiß ich nicht. Beschriftet sind sie mit «Kram 24» bis «Kram
33». Wird wohl nicht so wichtig sein.

Aber ich bin fest entschlossen, bei meinem nächsten Umzug in
jeden Karton unten ein kleines Geschenk oder 10 Mark reinzu-
legen. Ich denke, nur so ist gewährleistet, dass dann in der neuen
Wohnung auch mal alle Kartons ausgepackt werden. Beim
Thema Abwasch hat das ja schließlich auch prima geklappt.

Um die ständig anfallenden riesigen Berge dreckigen Geschirrs
in der Spüle zu vermeiden, habe ich eine Liste mit den ganzen
Zahlen, die ich ständig brauche, aber mir einfach nicht merken
kann, EC-Geheimzahl, Telefonbanking, Kontonummer, Pass-
wörter, Taxiruf, Hochzeitstag meiner Eltern und so weiter und
so fort absolut wasserdicht verpackt und in die Spüle geklebt,
damit ich immer, wenn ich eine dieser Zahlen brauche, auch
gleich abwasche. Mit großem Erfolg. Zwar steht die Spüle auch
heute noch ständig genauso voll wie früher, aber mittlerweile
kann ich alle diese Zahlen auswendig.

Leben zur Jahrtausendwende 5
(Das Paket)

Kurz nach zehn. Sitze zu Hause und warte auf Peter. Habe extra ein Klingelzeichen mit ihm ausgemacht, da ich möglichst niemand anderem öffnen möchte. Aus gutem Grund.

Vor gut zwei Wochen klingelte der Paketbote und fragte, ob ich ein Paket für meinen Nachbarn entgegennehmen würde. Ich dachte mir nichts dabei, quittierte den Empfang und stellte das Paket in den Flur. Der Nachbar jedoch holte das Paket am Abend nicht ab. Mehr noch, er war offensichtlich gar nicht in der Stadt. Wohl verreist, oder weiß der Geier was. Mir war's eigentlich auch egal. Bis nach ca. zwei Tagen das Paket langsam anfing zu stinken. Der Gestank wurde schnell schlimmer, und bald schon war er bestialisch. Reinzugucken traute ich mich nicht. Wegschmeißen konnte ich es nicht, immerhin hatte ich den Lieferzettel mit meinem Namen unterschrieben. Was tun? Das letzte große Geruchsproblem in meinem Leben lag mittlerweile fast ein Jahr zurück.

Kurzer Exkurs: Mein großes Geruchsproblem nach meinem Umzug

Mai letzten Jahres. Bemerke einen ziemlich schlimmen Gestank in der Wohnung. Kriege den Gestank trotz heftigen Lüftens einfach nicht aus der Wohnung raus. Gehe nach draußen, weil ich es in der Wohnung nicht mehr aushalte. Stehe auf dem Bürgersteig, der Gestank ist immer noch da. Bekomme traurige Gewissheit. Der Gestank bin ich. Ziehe Schlussfolgerungen:

Wenn man nur eine Hose, die man auch schon beim Umzug und beim Renovieren getragen hat, ca. acht Tage nach dem Umzug immer noch trägt, weil praktisch alle anderen Hosen irgendwo zwischen Kramkarton 21 und Kramkarton 63, also quasi unauffindbar sind, entsteht mit der Zeit etwas, was man wohl nur mit «ein Geruch» bezeichnen kann, ein ziemlich stechender Geruch sogar. Gehe zu Peter, um mir Hosen zu leihen.

Als ich in die Wohnung komme, reißt Peter alle Fenster auf, er sieht schon ziemlich blass aus. Gebe ihm eine meiner mitgebrachten Plastikklammern für die Nase, seine Gesichtsfarbe kehrt zurück.

– Peter, ich dachte, wir haben doch in etwa dieselbe Statur und …

– Wir haben was?

– Na, in etwa dieselbe Statur.

– Ich bin nicht dick.

Er schiebt mich beleidigt aus der Wohnung und schlägt die Tür zu. Bei drei anderen Freunden mit meiner Statur geht's mir genauso.

Frage mich, wie man so schlank sein kann, wie ich bin, und trotzdem so dick wirken. Egal. Hab jetzt Wichtigeres zu tun. Der Geruch muss weg. Kaufe acht Wunderbäume und hänge sie an meine Kleidung. Das wird helfen. Fahre dann nach Hause. Die U-Bahn ist total voll. Aber nach nur einer Station müssen auf einmal alle aussteigen, und ich hab den Waggon für mich allein. Beim Umsteigen kann ich irgendwelchen Passanten auf dem Bahnsteig insgesamt 50 Nasenklammern verkaufen. Kein schlechtes Geschäft. Vom Gewinn kaufe ich mir auf dem Nachhauseweg eine neue Hose und neue Nasenklammern.

So war es letztes Jahr. Doch das Geruchsproblem mit dem Paket war nicht so einfach zu lösen. Irgendwann hab ich dann in meiner Not ein Seil darum gebunden und es einfach zum Fenster rausgehängt. Im dritten Stock kann man so was schon mal machen, auch wenn ich manchmal ein schlechtes Gewissen habe, wenn ich morgens zur Haustür raustrete und die ganzen abgestürzten, ohnmächtigen Vögel auf dem Bürgersteig sehe.

Mittlerweile ist es elf Uhr durch, Peter ist immer noch nicht da. Der Schluffi hat unsere Frühstückseinladung wahrscheinlich einfach verpennt. Na gut, geh ich eben auswärts frühstücken. Als ich zur Haustür raustrete, liegt Peter bewusstlos auf dem Bürgersteig. Neben ihm ein Paket, dessen Geruch mir irgendwie vertraut vorkommt. Das Seil ist zerrissen. Rufe einen Notarztwagen für Peter, stecke mir eine Nasenklammer auf und gehe dann mit dem Paket zur Post, um es einfach nochmal an meinen Nachbarn zu schicken. Ich muss nur aufpassen, dass ich bei der zweiten Zustellung nicht zu Hause bin. Muss sieben Postämter abfahren, bis ich endlich einen ausreichend heftig verschnupften Schalterbeamten finde, bei dem ich das Paket unauffällig ein zweites Mal aufgeben kann.

Die nächsten Tage verbringe ich damit, sinnlos durch die Stadt zu rennen, bis endlich die Luft wieder rein, sprich die Zustellzeiten vorbei sind, und ich zurück in meine Wohnung darf. Bin mir nicht sicher, ob sich jemals ein Bote für einen neuerlichen Zustellversuch gefunden hat, werde mich aber vermutlich mein Leben lang fragen, was wohl in diesem Paket drin gewesen sein könnte.

Leben zur Jahrtausendwende 6 (Neuartige Technologien)

Wie gefährlich neuartige Technologien in den falschen Händen sind, weiß ich spätestens, seit mir meine Mutter zum Geburtstag ein Handy geschenkt hat, damit sie mich immer überall erreichen kann. Seitdem vergeht kein Tag, an dem sie mich nicht dreimal anruft und Dinge fragt wie, ob ich auch ordentlich esse. Nur im Sommer hatte ich Glück, da wurde ich von einer gefährlichen, skrupellosen, grobschlächtigen Jugendbande ausgeraubt, und ihr Anführer, der ganz besonders gefährlich, skrupellos und grobschlächtig war, nahm mir auch das Handy weg.

Zwei Tage später stand er heulend, verwirrt und sehr höflich vor meiner Haustür und hat mir das Handy zurückgegeben, aber erst nachdem ich ihm versprochen hatte, dass ich sofort meine Mutter anrufe und ihr sage, dass er nun mit dem Rauchen aufgehört hat und im September eine Lehre beginnt.

Die Vorteile des Alters

Es ist still geworden in der Wohnung. Nachdem nacheinander in wenigen Tagen das Faxgerät, der Computer, die Stereoanlage und der Fernseher ausgefallen sind, fühle ich mich ein Stück weit von der Welt abgeschnitten. Bemühe mich trotzdem, dass der Kontakt mit der Außenwelt nicht völlig abreißt. Habe deshalb in den letzten Tagen wieder vermehrt die alte Kunst des aus dem Fensterguckens entdeckt. Obwohl, so richtig viel kriegt man da ja auch nich mit, erst recht nicht, wenn das so diesig ist wie heute. Sehe, wie der alte Mann im Fenster des Seniorenheims gegenüber Buchstaben aus einer Zeitung ausschneidet. Na, dem muss ja auch ganz schön langweilig sein.

Frage mich, was mir das Schicksal mit dem fast völligen Ausschluss aus unserer Kommunikationsgesellschaft sagen will?

Vielleicht so was wie: «Na, Horst, alte Schabracke, nich viel los, wa? Tja, so schnell kann das gehn. Nu geh mal schön in dich, du, was da alles so is, red mal wieder 'n bisschen mit dir selbst. Jaa, hör nicht mehr auf die Stimmen von draußen, das ist alles Teufelswerk, du trägst die Wahrheit in dir, vergiss die Lügen der Scheinwelt da draußen, finde die Antworten in dir und befreie deinen Geist.»

Ist das Schicksal bekloppt geworden, oder hat es einfach nur einen fiesen Charakter? Überlege, ob ich mich jetzt nicht umbringen sollte, lasse es aber aus Angst, mein ganzes bisheriges Leben könnte dann nochmal vor meinem inneren Auge vorüberziehen.

Mache stattdessen das Radio meines Nachbarn an. Seit ich auf meiner «one for all»-Universal-Fernbedienung in einen Speicherplatz die Sony-Kompakt-Anlage meines Nachbarn einprogrammiert habe, kann ich sie so, wenn ich mich ein bisschen aus dem Fenster lehne, ganz gut von meiner Wohnung aus bedienen.

Kann dadurch, sobald er zur Arbeit gegangen ist, zumindest tagsüber wieder ein bisschen Radio hören. Wenn ich die Anlage auf volle Lautstärke stelle, krieg ich eigentlich alles ganz gut mit. Allerdings ist mein Nachbar seit kurzem in unserem Haus nicht mehr sehr beliebt.

Leider läuft ein Gespräch mit Studiogast. Ein Herr Fringer, der Anti-Stress-Seminare veranstaltet, in denen er mit den Teilnehmern tagelang durch die weite Landschaft Niedersachsens wandert. Er wirkt sehr ruhig und ausgeglichen.

So ruhig und ausgeglichen wäre ich auch gern gewesen, als ich im Media-Markt am Serviceschalter mein Faxgerät abgeben wollte und ewig warten musste, weil irgendein Rentner nicht einsehen wollte, dass er den Garantieanspruch auf seinen Weltempfänger verliert, wenn er da selbst schon dran rumgeschraubt hat. Nachdem ich mich dann eine halbe Stunde auf die Kundentoilette zurückgezogen hatte, um sämtliche Spuren meiner Einwirkungen auf mein Faxgerät zu beseitigen, war er weg.

Das Telefon klingelt. Wenigstens das ist mir geblieben. Ich gehe ran.

– Guten Tag. Prota-Meinungsforschungsinstitut.

– Oh nee.

– Bitte?

– Ach nix.

– Wir führen zurzeit eine Umfrage unter Männern zwischen 16 und 61 Jahren durch. Gehören Sie zu dieser Altersgruppe?

– Brrrh. Oh nee, bin ich gerade knapp drüber. Oh, das tut mir leid.

– Ach macht nix, wir haben auch eine Umfrage für über 60-Jährige. Dauert nur fünf Minuten.

– Ach so.

Beantworte ihr eine halbe Stunde lang Fragen zu privaten Treppenliften. Is interessanter, als ich dachte. Sie verspricht mir, mir einen Katalog zuzuschicken. Überlege, wo ich, wenn ich so einen Lifter kaufe, eine Treppe herkriegen könnte. Die großen Kosten kommen immer erst hinterher.

Fühle mich auf einmal sehr alt. Das letzte Mal, dass ich mich so alt gefühlt habe, war kürzlich beim Hosenkauf, als mir eine Fachverkäuferin eine Hose anpries mit den Worten, diese Hose habe einen gewissen jugendlichen Schick, den ich aber noch ohne weiteres tragen könne.

Im Radio sind mittlerweile Nachrichten. Ein Senatssprecher macht sich Sorgen, weil die Alterspyramide immer mehr in Schieflage gerät. Nach jüngsten Erhebungen eines Meinungsforschungsinstituts habe der Anteil der über 60-Jährigen in dieser Stadt dramatisch zugenommen.

Der Media-Markt ruft an. Die Reparatur des Faxgerätes verzögert sich, weil ständig anonyme Bombendrohungen kommen, in denen eine Lockerung der Garantiebestimmungen gefordert wird. Wer macht denn so was?

Der Rentner gegenüber bastelt mittlerweile mit einem Radio, einem Wecker, einer Fernbedienung, grauer Knetmasse und irgendwelchem Zeug, das ich nicht richtig erkennen kann, rum. Schlimm, mitansehen zu müssen, wie sinn- und wehrlos die alten Menschen in unserer Gesellschaft ihre Zeit totschlagen müssen. Ob ich wohl einmal genauso werde?

Oder habe ich Glück und bin auch noch in hohem Alter so agil und auf der Höhe, dass ich auch dann noch schön den ganzen Tag aus dem Fenster gucken kann. Dann sitze ich vielleicht am Fenster des Seniorenheims gegenüber. Wäre schön, wenn hier dann eine junge Frau wohnen würde. Das zumindest ist einer der Vorteile des Alters. Je älter man wird, desto mehr Frauen, die man so sieht, sind auf einmal junge Frauen.

Wenn das jetzt kein positiver Schluss ist.

Epilog

Aus einigen Texten dieses Buches geht hervor, dass ich innerhalb der fünf Jahre, die dieses Buch umfasst, umgezogen bin. Und das, obwohl ich doch eigentlich so gut in der alten Wohnung zurechtkam. Um der Frage nach dem Warum vorzugreifen, folge zum Schluss noch diese kurze Erklärung:

Warum ich umziehen musste

Mein Wäschekorb steht exakt 1 Meter 20 von meinem Bett entfernt. Das ist die perfekte Entfernung, das Nonplusultra moderner Inneneinrichtung, quasi. Denn so weiß ich genau, dass in dem Moment, wo das Volumen und die Auswucherungen des Wäschekorbes eine solche Dimension erreicht haben, dass sie gleichsam mit der Schlafstätte verfließen und ich des Nachts wirklich lange überlegen muss, was von beidem jetzt eigentlich genau nochmal mein Bett und was der Wäschekorb ist, dass in dem Moment Waschtag ist. Aber hallo!
Als ich mich nach einer kurzen, unruhigen und unbequemen Nacht aus dem Wäschekorb erhebe, spüre ich genau, vor allem am Rücken, heute ist es so weit. Der Wecker zeigt 11 Uhr. Na hab ich doch länger geschlafen, als es sich anfühlt. Mache Notiz, Wäschekorbschlaf ist nur halb so erholsam wie Normalschlaf. Man lernt eben nie aus. Greife mir einen gewaltigen Stoß Wäsche, stopfe ihn in die Waschmaschine, fülle Waschpulver ein, will sie gerade einschalten, als überraschend auch mein Hirn aufwacht:
– Moment, Horst!
– Was 'n? Ach so.
Hole alles wieder raus und beginne die Wäsche zu sortieren.

Als Erstes entscheide ich mich für eine 40-Grad-Wäsche. Wie meistens, eigentlich fast immer. Während die Maschine läuft, beginne ich den Tag mit einem gemütlichen Vor-mich-hin-starren. Würde gerne Radio hören, aber das ist kaputt. Rufe Eldat an.

– Hallo, Eldat, hier ist Horst, weißt du noch, wie ich erzählt habe, dass die sich weigern, mein Radio zu reparieren, nur weil die Garantie ein paar Wochen abgelaufen ist?

– Was?

– Hab ich doch erzählt, weißte doch. Und jetzt dacht ich, wenn du da vielleicht nochmal hingehst, weißte, so mit deinem arabischen Aussehen, wenn de dann noch so 'n bisschen fanatisch guckst, vielleicht stimmt die das ja um.

– Sag mal, weißt du, wie spät das is?

– Na ungefähr zwölf, schätz ich, also auf, auf, der Tag freut sich auf dich.

– Arschloch.

Er legt auf. Werde nachdenklich. Gehe nochmal zum Wecker. Der Zeigerstand hat sich seit elf verändert. Klar. Drehe den Wecker richtig herum und komme zu dem Schluss, dass es so gesehen dann wohl doch eher erst sechs ist. Blöder Sommer, das ständige Hellsein draußen is doch 'ne Frechheit, wer blickt da noch durch? Na, wenigstens hat mich dann mein Schlafgefühl nicht getrogen, zerreiße die Notiz zum Wäschekorbschlaf. In diesem Moment erhebt sich ein ohrenbetäubender Lärm aus der Küche. Die Waschmaschine beginnt den Schleudergang. Rund zwei Minuten lang dröhnt, wackelt, klirrt und donnert alles. Wie gelähmt, aber auch andächtig verharre ich angesichts der beeindruckenden, unbändigen Urkraft meiner Waschmaschine. Begreife plötzlich das ohnmächtig faszinierte Staunen der Live-Reporter vor dem ausbrechenden Ätna. Dann, genauso plötzlich Totenstille; nur durchbrochen vom leise wieder in die Maschine einschießenden Wasser. Aus den Wohnungen über und unter mir erhebt sich Gerumpel. Flüche, stapfende Schritte, noch mehr Flüche, wütendes Stampfen, endlose Flüche – Scheiße. Wenigstens ist der Nachbar neben mir im Urlaub. Renne zur Wohnungstür. Türen schlagen, die Schritte sind jetzt im Treppenhaus. Die Gedanken in meinem Hirn rasen panisch von Schädelwand zu Schädelwand: «Verdammt, Horst, denk dir irgendwas aus, irgendeine Erklärung, denk nach, verdammt nochmal.»

Stürze aus der Wohnungstür und trommel an die Tür meines Nachbarn:

– Ey, du Idiot, bist du völlig verrückt geworden, spinnst ja wohl, um die Zeit zu waschen, mach auf, du Schwachkopf!

Das war knapp, grad noch rechtzeitig, bevor die anderen dazukommen.

– Ach, der ist das Arschloch, hatte erst gedacht, das käm aus Ihrer Wohnung.

– Ich? Wirke ich auf Sie wie jemand, der um sechs Uhr aufsteht?

Prima, ein einleuchtendes Argument. Die halbe Hausgemeinschaft donnert jetzt an die Tür meines Nachbarn.

– Komm raus, du Sau!

Kriege ein wenig Gewissensbisse, will schlichten.

– Na, der wird sich hüten, jetzt rauszukommen. Is vielleicht auch besser so. Die Situation ist ja doch ein wenig aufgeheizt. Ich wette, der macht das bestimmt nie wieder! Das aufgepeitschte Grüppchen beruhigt sich ein wenig.

– Na jut, aber da reden wir noch drüber.

Jeder tritt nochmal gegen die Tür meines Nachbarn, bevor alle wieder langsam zu ihren Wohnungen schlurfen. In diesem Moment beginnt die Maschine den zweiten Schleudergang.

Deshalb musste ich umziehen.

Register

Alexanderplatz
sehr wichtiger Platz in Berlin, es gibt ganze Romane darüber

Anästhesist
Betäuber

Amerika
ist gleich zwei Kontinente, manche sagen sogar drei

Ätna
Wir werden oft verglichen. Auch so ein stiller, eher unschein-
barer Typ, aber wenn er mal in Fahrt gerät, sprudelt es nur so
aus ihm heraus, und andere machen sich Gedanken

Barcelona
Stadt in Katalonien, auch wichtig, es gibt richtige Lieder darüber

Berlin
große, eigentlich ganz wunderbare Stadt, deren charakteristi-
sche Mischung aus Größenwahn und Minderwertigkeitskom-
plex allerdings nicht jedermanns Sache ist

Bjerg, Bov
*1965, Autor, Schauleser, Internet-Enthusiast, aber Geschwin-
digkeitsskeptiker *(Mittwochsfazit, Reformbühne Heim und Welt)*

Bonn
schöne, sehr nette Stadt am Rhein. Wirklich wahr

Braunschweig
Wer denkt, Hannover sei langweilig, sollte mal nach Braunschweig fahren

Calanda
Berg des Todes

Café Keese
legendäres Berliner Kontaktcafé. Als es noch keine 0190-Num-
mern gab, war allerdings mehr los

Café Kranzler
legendäres Berliner Touristencafé. Als es noch nicht abgerissen
war, war allerdings mehr los

Chirurg
Aufschneider

Chur
Schweizer Stadt in den Alpen. Wird oft falsch ausgesprochen

Cobain, Kurt
so was wie der Werther der Grunge-Musik

Deutschland
großes Land, nördlich von der Schweiz

di Caprio, Leonardo
Wir werden oft verwechselt. Soll ja auch fülliger geworden sein

Diepholz
Stadt in Niedersachsen, am Dümmer-See, früher zweitgröß-
ter Binnensee Norddeutschlands. Seit allerdings Ostdeutsch-

land zum Teil Norddeutschland geworden ist, nur noch auf Platz 14

Dr. Seltsams Frühschoppen

Dr. Seltsams Frühschoppen besteht aus sechs Männern und einer Frau, die jeden Sonntag seit 1990 (das ganze Jahr hindurch, egal, ob Sommer oder Winter) um 13.00 Uhr in der Kalkscheune in Berlin ihre neuesten Texte vorlesen. Die Texte bleiben in der Regel einen Monat lang im Programm, zu jedem ersten Sonntag im Monat muss aber ein völlig neues Programm erstellt werden

Duschke, Hans

*1964, Autor, Computerversteher und Familienvater (Frühschoppen)

Eden, Rolf

Berliner Playboy-Legende, soll was weiß ich wie viele tausend Frauen gehabt haben; das verstehe, wer will

Ennepetal

Wenn ganz Deutschland ein riesiges, phantastisches, gewaltiges 7-Gänge-Menü ist, ist Ennepetal das Glas Leitungswasser zum Espresso

Europa

mittelgroßer Kontinent um den Wedding herum. Wir sollten da alle viel mehr drüber nachdenken

Fidicinstr.

legendäre Wohnstraße in Kreuzberg; da war allerdings nie mehr los

Frankfurt
Stadt in Deutschland, die sich was drauf einbildet, dass sie höhere Häuser als Berlin hat

Gifhorn
Stadt in Niedersachsen, gibt es wirklich

Gravitationsschwankungen
sehr komplizierte Geschichte, Genaueres kann wohl nur Stephen Hawking sagen («sagen» ist hier im übertragenen Sinne gemeint)

Haldenstein
Daran, dass ich diesen Ort kenne, sieht man, dass ich wirklich da war

Hannover
«Es gibt Städte, die sind eben so.» (Zitat: B. Bjerg)

Hildesheim
immerhin hält der ICE da

Himmelstor
legendärer Ort, bislang unentdeckt, ähnlich wie Atlantis, nur ohne Schatz

Husen, Hinark
*1965, Autor, Weddinger, Gegenwartsskeptiker *(Frühschoppen)*

Jenseits
legendärer Ort, hat viele Namen: ewige Jagdgründe, Zwischenwelt, ab übern Jordan u.s.w.

Kalkscheune
Johannisstr. 11 in Mitte, Berlin

Kaiserslautern
als Fritz Walter noch spielte, war mehr los

Kladow-Hottengrund
gibt's wirklich, heißt wirklich so, wer schon alles gesehn hat, sollte sich das mal angucken

Köpenick
richtig weit draußen, aber größtenteils schön

Kreuzberg
legendärer Stadtteil von Berlin; als die Besetzer ihre Häuser noch nicht gekauft hatten, war allerdings mehr los

Krüger, Hardy
früher großer Schauspieler und Weltstar, heute Hardy Krüger

Kudamm
eigentlich Kurfürstendamm, legendärer Berliner Flanierboulevard; als der 165er noch vom Wedding direkt dahin gefahren ist, war allerdings mehr los

Landwehrkanal
Kanal in Berlin. Ich glaub nicht, dass es da Fische gibt

Malchow-Dorfstraße
Endhaltestelle des 26er-Nachtbusses, kenne es bislang nur bei Nacht, unspektakuläre Bushaltestelle

Materieverdichtungen
Kann immer mal vorkommen. Der Alltag kennt das zum Beispiel vom Frühstücksei

Maurenbrecher, Manfred
*1950, Liedermacher, Geschichtenerzähler, Lebensmitteldarsteller (unübertroffen als Mehl, *Mittwochsfazit*)

Mittwochsfazit
jeden Mittwoch im Schlot in Berlin, seit 1996

Modern Talking
so was wie die Ed Woods der Popmusik

Moskau
Wenn Berlin dreimal so groß wäre, wär's fast so groß wie Moskau; sonst ähnlich

Napoleon Bonaparte
Für den war's auch nicht immer nur Freitag

Neukölln
Berliner Stadtteil, besser als sein Ruf, obwohl, na ja ...

Nollendorfplatz
Da schreibt keiner Bücher drüber

Norddeutschland
flach, klar, verlässlich. Man muss es mögen

Norwegen
flach, klar, verlässlich. Skurrile Sprache

Notaufnahme
Wenn man da ist, hat man's geschafft

Paris
Wenn Berlin dreimal so groß wäre, wär's fast so groß wie Paris; sonst ähnlich

Platz der Luftbrücke
Platz am Flughafen Tempelhof, mit Luftbrückendenkmal, die meisten Touristen denken, der Berliner sagt «Hungerharke», tatsächlich aber sagt der Berliner: «Na, das Denkmal da am Platz der Luftbrücke wegen den Rosinenbombern …»

Potsdamer Platz
mit großem Aufwand wieder aufgebaut, und jetzt sind die Häuser nicht mal höher als in Frankfurt. Frechheit. Trotzdem, legendäres neues Berliner Stadtzentrum. Als es noch Baustelle war, war allerdings mehr los

Prag
Der Frühling dort ist weltberühmt

Raumschiff Voyager
zurzeit noch im Delta-Quadranten verschollen

Scheffler, Andreas
*1966, Autor, Katzenvater, Sprachtheoretiker und Modernisierungsskeptiker *(Frühschoppen)*

Schingschangschong
Schere, Stein, Papier (Handfingerspiel)

Schlot
Chausseestr. 18, Mitte

Schmidt, Sarah
* 1965, Autorin, Politikerin, Erziehungsbevollmächtigte *(Früh-schoppen)*

Schöneberg
legendärer Berliner Stadtteil, das Berg ist reine Prahlerei

Schwaben
Die kochen auch nur mit Wasser

Schweden
Weil die Schweden im 30-jährigen Krieg in Deutschland waren, bin ich heute protestantisch, so ist Geschichte.

Schweiz
kleines Land, südlich von Deutschland

Schwiebusser Str.
legendäre Wohnstraße in Kreuzberg; da war allerdings schon immer noch weniger los als in der Fidicin.

Schottland
Was Mecklenburg für Berlin ist Schottland für London, nur hügeliger

Stemweder Berg
So was in etwa meint der Norddeutsche, wenn er Berg sagt.

Stuttgart
Hauptstadt derer, die auch nur mit Wasser kochen

Spanien
Wer nach Südfrankreich will und dort landet, ist zu weit gefahren, sonst sehr schön.

Seltsam, Dr.
*1951, Autor, Moderator, Kleinkunstimpressario und Revolutionssachverständiger *(Frühschoppen)*

Tegel
weit draußen

Tegel-Ort
sehr, sehr, sehr weit draußen

Tirol
Region bei Kufstein, dort ist der Inn grün

Treptower Park
Park in Treptow, sehr groß, mit Denkmal

Townshend, Pete
so was wie der Beethoven der Rockmusik

Urbankrankenhaus
Krankenhaus am Landwehrkanal, die Cafeteria gehört zu meinen Lieblingskneipen

USA
Wie soll man das erklären?

Witte, Jürgen
*1956, Autor, wandelndes Konversationslexikon (mehrsprachig), Musiktheoretiker *(Frühschoppen, Reformbühne)*

Wedding
die Perle unter den Berliner Stadtteilen, s. a. Horst Evers: Wedding, erschienen 1997

Westdeutschland
Gibt's ja eigentlich nicht mehr, aber die D-Mark gibt's ja auch nicht mehr. Und soll ich deshalb jetzt etwa alles umschreiben und vor allem umrechnen? Also!

Wilmersdorf
legendärer Stadtteil mit Grunewald, früher oft Holzauktionen

Wolfsburg
Stadt in Niedersachsen, der Wolfsburger selbst findet sie schöner, als man denkt

Wrangelstraße
Straße in Kreuzberg, muss man mögen